50歳からの
自分メンテナンス術

横森理香

大和書房

眠りへと導くサプリ&お茶

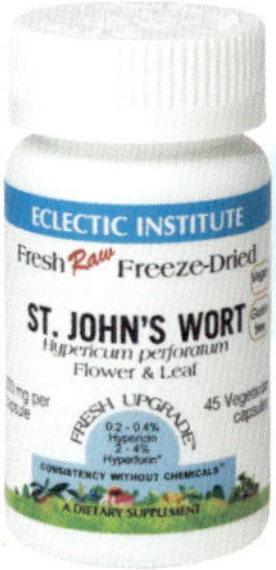

セントジョーンズワートのサプリ

かつては時差ぼけの調整薬として知られていた薬ですが、今は不眠や更年期の薬としてポピュラーに。天然のものなので安心して飲めます。入院時にも必須アイテム！

ナイティナイトのお茶

眠りを誘うハーブをブレンドしたお茶。トケイソウが主成分で、精神を安定させ、リラックスさせてくれます。カプセル錠がイヤな人はお茶で！

クコ茶

乾燥したクコの実をひとつかみ湯飲みに入れ、熱湯を注げばできるクコ茶は、呼吸器と美肌、眼にいいそうです。ほんのり甘くて飲みやすい。もちろん実も食べます。

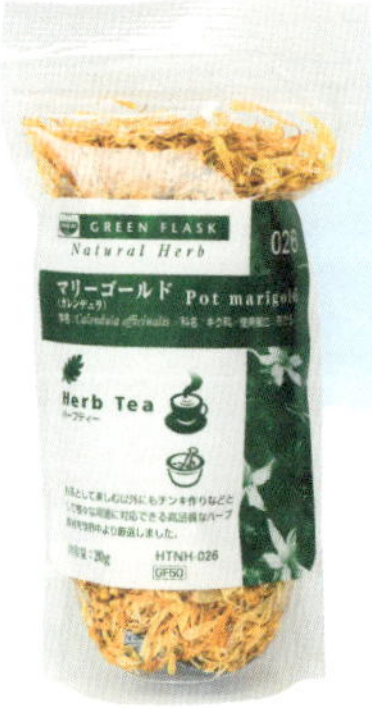

マリーゴールド茶

マリーゴールドの花びらを乾燥させて作られたお茶。カフェインレスはもちろん、眼精疲労などに効果があり、婦人科系にも◎味はあまり強くないので、他のお茶とブレンドしても♡

ルイボスティー

カフェインが含まれていないお茶なので、不眠の人が飲める紅茶として活躍！ 噂では、加齢の原因である活性酸素も抑えてくれるとか！

冷えとりいろいろ

ミニサイズも！

fashyの湯たんぽ

冷えとり整体「菊地屋」で教えてもらった湯たんぽ。サイズもちょうどよく、カバーも色が選べてかわいい。通販で購入し、ついでにもう一つ小さい物も購入しました。 ホットフラッシュ時には氷枕としても使えます。3000円ほどで購入。

温香楽

重さ1キロ以上もあるずっしりとした枕の中には漢方の薬草が詰まっています。冷えを感じた時には、これをチンしてお腹にのせれば重みとアロマの香りでリラックス。湯たんぽがメンド臭い人はこちらで。通販で5000円ほど。

手当て整体・菊地屋さんの靴下

冷えとりの指導をしている整体院「菊地屋」さんで購入した靴下。内側が絹で外側が綿の二重構造なので、少ない枚数でも快適に冷えとりできます。基本は、白を下に穿いて、上から靴下を重ねるそう。先マルも五本指もそろっています。1300円くらいで購入。

実用コスメ

バーツビーズのシュガースクラブ

お砂糖のスクラブで、肘・膝・かかともすべすべに。ジャムのようなあまい香りで、肌がツルツルになります。オーガニック製品なのに2000円くらいなのも嬉しい。

マヌカハニーのパック

強力な殺菌効果もあるということで食品としても愛用しているマヌカハニーですが、こちらはパックとして使用中。日焼けや乾燥、ニキビなどの炎症にも効果アリなので、お風呂で洗い流すパックを実践中！香寺ハーブ・ガーデンで2000円ほど。

アメリカンファーマシーのゲルクリーム

化粧水、美容液、乳液までコレ一つでOKというお気楽お手入れコスメ。乾燥が激しい時は保湿ジェル代わりに使用、上にオイルでフタをします。たっぷり入って1200円なのも嬉しい！

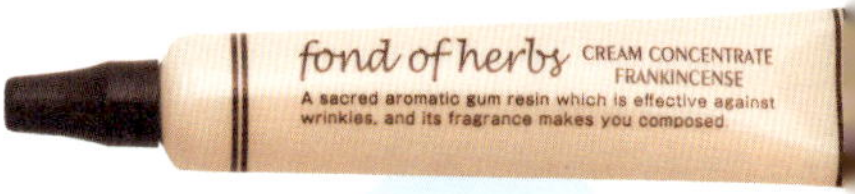

アメリカンファーマシーのアイクリーム

アメリカンファーマシーのオリジナル商品「APS」シリーズのクリーム。天然由来成分なのにお安いので目元、口元のクリームとして。1500円ほど。

ラブ＆トーストのハンドクリーム

パッケージや香りもかわいいラブ＆トーストのハンドクリームは、日々の潤いとして活用中。シュガーグレープフルーツの香りはラムネのようで癒されます。GPPの通販で1300円ほどで購入。

華やぎコスメ

エレガンスのコスメ

キラキラのパッケージもかわいいエレガンスのコスメは、君島十和子様のご著書を参考にチャレンジしてみました。色も赤みのあるものを選んで。配色や中のデザインもスイートなので、メイクのたびに気持ちが上がります！

中は
こんな感じ！

MORのボディバター

プレゼントにもピッタリなボディバター。白はスノーガーデニア、黒はカシスノアールと香りの名前もかわいくて、リッチな香りと使い心地でうっとりします。GPPで2500円ほど。

パワーエッセンス
ウォータリングジェルクリーム

クリーム状なのに塗るとジェルに変化するというフレグランスクリーム。髪も体も顔も使えるすぐれものです。私はフランジパニとローズの香りを愛用中。GPPで1つ500円ほど。

※GPPオンラインショップ
http://www.gpp-shop.com/shop/

お気に入りの食器

amabroのそば猪口

ヨーグルトなどを入れるのにピッタリなそば猪口。藍の絵付けに金でPOPなデザインがキュート。食卓が華やかになります。一つ3500円ほど。

amabroのお皿

有田焼に金が映えるお皿は和・洋折衷なので、普段づかいにして、毎日の気分アップにしています。1枚4000円くらい。

amabroの豆皿

豆皿は、お漬け物やお辛味、お醤油入れとしても活用しています。桐の箱入りなのでプレゼントにも◎3枚で4000円ほど。

山田平安堂の漆器

普段のおみそ汁をワンランクupするため、お椀は少しこだわりのものを使うことに。食洗機には入れられませんが、丁寧な気持ちで使うのもメリハリになっています。一つ1万円くらいから。

裏もカワイイ！

作家もののグラス

毎日つかうワイングラスもガラス工芸作家さんのものを購入。口触りもやさしいし、コロンとした形も気に入って。割らないように扱いもやさしくなります（笑）。南アルプスglass工房で3500円。

年齢とともに楽しむもの

リフォームジュエリー

左はパールの指輪をバラにして、ネックレスにリフォームしたもの。真ん中のダイヤの指輪の大きいのは母のもの（笑）。右のペリドットは夫にもらった指輪をネックレスに。台は買い取りで、すべて普段使いによみがえりました！（詳細は本文P116へ）

大ぶりジュエリー

タヒチアンパールの指輪は、ハワイで購入。大きいパールも今の年齢なら着けこなせるようになったと感じます。ブレスレットは、天然石のお店でバラで買ったものをつないでもらいました。

夫と兼用の香水

左はDIPTYQUEのオードトワレ、タムダオ。象のラベルもかわいい。右はドクター・ハリスのクラシック・コロン。お風呂上がりにお腹につけるそう。どちらもさっぱりした香りでユニセックスに使えます。

ジョー・マローンの香水

これは母の日に娘と夫、二人からもらった名入り香水。プリザーブドフラワーとセットで、香りはRed Roseを夫が選んでくれました。

50歳からの
自分メンテナンス術

第1章 ホルモンバランス悪き時期をどう乗り越えるのか

第2章 自宅でできる快適術

第3章 美と女らしさを内から外から

第4章 大人女子の気分UP作戦

はじめに

50歳は不調のオンパレード どうする？ どうなる？

美容系雑誌では「49の壁」と称されますが、私も50歳を目前にした頃から、今まで体験したこともないような、めくるめく不調に見舞われ始めました。

クリスマスに甥っ子からもらった風邪が二カ月も治らず、喘息《ぜんそく》のような咳が続いたのです。微熱も続き、行きつけのクリニックに行って検査するも、深刻な病気らしきものは見当たりませんでした。

微熱が続き、時に上がったり下がったりすると、内科医はまず腎盂炎《じんうえん》を疑うのですが、それもなく、甲状腺《こうじょうせん》の異常もありませんでした。初見で異常が見当たらないと薬も出してもらえないので、漢方薬局のオバサンに相談して、その時は朝鮮人参入り和漢薬で治すことになりました。

飲み始めるとみるみる良くなって、その後は快調に過ごしていたのですが、梅雨時にまた咳が出始めました。また漢方薬局のオバサンに電話相談すると、「今回はクコの実で乗り切れるかもしれない」と、クコ茶の作り方をおしえてくれたのです。

クコの実ひとつかみをお湯に入れて浸し、飲んで実まで食べるという「クコ茶」は、簡単で美味しく、血流をよくして目にもお肌にもいいという優れもの。気管支や肺の潤いも改善し、咳を癒す漢方でもあります。実際クコ茶を飲み始めて、この時は乗り切ったのでした。

しかしそのあとに「口角炎」です。50歳の夏、突然唇の両脇が切れたのです。最初は大口を開けて寝てしまったからだと思いました。炭酸へアエステに行き、シャンプー台で気持ち良くなって、仰向けで寝てしまったのです。パカっと、口が開いた時、その衝撃で目が覚めました。

何度か口の両脇または片側が切れることがあり、最初は「フロスで切っちゃったのかな？」とか、「ヨダレ垂らして寝てたからだ（強烈なヨダレが皮膚を浸食と憶測）」とか、「大口開けてあくびしたから……」など、色々なことを考えました。

それが、ビタミンB不足や鉄欠乏性貧血によってなる口角炎なのだと、ネットで調べて初めて知りました。昔は好き嫌いの激しい子どもがなる「カラスのお灸《きゅう》」と呼ばれていたものです。その治し方も書いてあり、一番いいのは皮膚科に行き、抗菌剤入りの塗り薬をもらうこと、とも書いてありました。

でも私は自然療法が大好きなので、家にあるティートゥリーバームを塗ってみたり、マヌカハニーを塗ってみたりして、なんとかなると思っていました。が、やればやるほど炎症は増し、食事のたびにヒリヒリして、うっかり大口開けると裂け目がまた切れました。

思い余って近所の皮膚科に行くと、ステロイドの塗り薬一日二回を三日間だけ、あとは純正ワセリンを好きなだけ塗りなさいと処方されました。ついでにビタミンB剤も二週間分処方。三日でつるっと治ったのです。

「けっ、ワセリンかよっ」

と、その色気のないプラスティックの容器（ピンクの蓋に油性マジックでプロペトと書いてある）を見ながら忌々《いまいま》しげに吐き捨てました。でも、その後何度も口角炎になりそうになったので、薬局でワセリンを買って常備することに。

ワセリン……バカにしていて悪かった。口角炎治療に一番いいのはワセリンと、歯医者さんも言ってたっけ。ステロイドなどの薬を塗り過ぎると肌が弱くなってしまうので逆に良くないとか。ベストコスメにも選ばれている君を、安いというだけの理由で今まで手にも取らずにいた私がばかだった。

何度か口角炎の被害に遭い、痛い思いをした私は、その後予防的にビタミンBとCは毎日摂るようになりました。

そして今度は「飛蚊症《ひぶんしょう》」です。これもまた、そんな病気があるとは知らなかったから、最初は本当に蚊が飛んでいると思い、手ではらったり、蚊取り線香を付けたりしていました。九月の終わりでした。でも、蚊はどうしてもいなくなりません。今度は眼医者に行くと、飛蚊症だと言われたのです。

これは目の硝子体の老化によるもので、近眼の人は早く発生、目がいい人は70代ぐらいに発症するそうです。老化によるものなので治療法はなく、経過観察。蚊が増えるようなら要注意。網膜裂孔《もうまくれっこう》や網膜剥離《もうまくはくり》が起きたりしたら、手術をしなければならないそうです。

これは大変！　と、私はまた漢方薬局のオバサンに電話をしました。すると、クコ茶のクコの量を増やすことと、仕事の後には目の炎症を抑えるカモミールティーを飲むこと、そしてキュウキキョウガイトウという漢方薬を処方されたのです。私は子宮筋腫があることで月経過多。更年期のせいか過長月経でもありました。その出血を止め血流改善することで、目の症状もよくなるのではないかと。

一緒に仕事をしていた編集者にも相談すると、さすが目を酷使するお仕事、40代で既に経験済み。ルテインがいいと聞き、早速アマゾンでネイチャーメイドのルテインを購入、飲み始めました。

目の問題ということでヤツメウナギの肝の油（ビタミンA入り）も飲み始め、勢い余ってすっぽんコラーゲンまで定期購入。毎日がビタミンとサプリと漢方薬でおなかいっぱいの日々にあいなったのです。

ところが、今度は金属アレルギーです。

首の後ろにアクセサリーの留め金からアレルギーが起こり、再び近所の皮膚科を受診。ステロイド剤と痒み止めを処方されたものの、カイカイはどんどん広がるばかり。それどころか前代未聞の大きなニキビまでほっぺにできて、なかなか治りませんでした。

五十年生きてきて、初めてニキビ治療専門クリニックなるものに赴《おもむ》き、レーザーでニキビ1個500円で潰してもらった私。しかしすぐ再発し、今度は近所の皮膚科でハリでプチっと潰してもらいました。アホか。

色々なサプリを取り過ぎたせいだわと反省し、すっぽんコラーゲンとルテインは定期購入をストップ。また自然派に逆戻りしました。ルテインの主成分はマリーゴールドだから、マリーゴールドはお茶でいただけばいいんだとばかりに、オーガニック専門店「グリーンフラスコ」に行って乾燥マリーゴールドを購入。飲み始めました。

しかしその後に、驚くような激痛で入院することになるとは、神のみぞ知ることでした。

この本は私の体験をもとに、50代になった大人女子が快適に過ごすにはどうすればいいのかをガイドし、少しでもお役に立てればと思い制作するものです。

体調不全がなければそれに越したことはありません。でもそうなる前に少しでもメンテナンスできればいいし、もしそうなったときでも立ち直る力を身につけておけば怖くない。最悪の状況でも楽しみを忘れない方法はあるものだとお伝えできれば幸いです。

第1章

ホルモンバランス
悪き時期を
どう乗り越えるのか

1

更年期も半ばを過ぎて

お年頃の不調は、更年期という一言では言いあらわせないぐらい様々です。私のように、生理がなかなかあがらず婦人病のオンパレードとなる人もいるかと思えば、知らないうちに生理は終わっちゃってたけど、その他の不調に悩まされる人もいます。また、体が丈夫でなんの不調もないかと思えば、心の風邪にかかり、なかなか治らないという方も……。不眠から始まりウツへ、そして被害妄想へと発展するケースは、私の周囲でも多いのです。気丈夫なら、体にガタがき、丈夫なら心にガタがくる。

「トシってすんなりとれないものだよね～」

と、毎週会うピラティスの先生と言い合ったばかり。2歳年上の彼女は、婦人科系には問題ないけれど、腸の不調でたびたび苦労しているのです。五十肩になったベリーダンサーもいます。

定期的な運動や健康的な生活をしていれば病気しないってわけじゃなく、この時期はホルモンバランスの悪さで誰しも不調が起こるものです。また、50代になると加齢が加速しますから、今まで体験したこともない不調を初体験することもあります。人生、驚きの連続ですよね。

私のような近眼の人は、老眼は遅めにくるけど（まだ老眼鏡デビューしてないし）、飛蚊症なんてことになりがち。ここにきて、遅ればせながらＪＩＮＺ ＰＣを購入して、パソコンを見る時にはかけています。パソコンも姿勢を正し肩コリ軽減のためデスクトップ型にし、大画面、級数大きめで執筆するようになりました。

40代から始まったマイナープロブレムを、数々の民間療法で乗り越えてきた私ですが、腹部激痛で二度入院。医療介助なしには50の壁は乗り越えられませんでした。そういうことがあった場合、退院後も自宅療養が必要なので、セルフケアの知識やテクニックは、身につけておいて損はありません。

幸い、今はネットや通販でほとんどすべてのものが買える時代なので、必要なものは家にいながらどこでも手に入り、使えます。お助けグッズもサプリも漢方薬もハーブもアロマも、使えるものは何でも使って、辛い時期をちょっとだけ快適に過ごすことはできるはずです。

私も、早朝覚醒で悩まされていた40代から、色々なハーブに助けられてきました。処方箋のいらない自然薬で、副作用も少ないものは、民間療法として古くから愛されてきたので、お医者さんにかかるほどでもない不調を改善するのに役立ちます。

更年期の不調を和らげるのに漢方やアロマ、鍼灸《しんきゅう》、整体、マッサージは効果的なので、この時期こそ使わない手はありません。正直、風邪と同じで特効薬というのはないので、あれやこれやを駆使して乗り越えるしかないのです。

また、どんなに健康的な生活をしていても更年期の不調には見舞われるのですが、していないよりはずっとマシです。早寝早起き、適度な運動、健康的な食生活の基礎力を身につけておけば、病気をしても回復力が違います。

2 突然の入院は何を教えてくれたのか

50歳の冬、私は突然の激痛で入院しました。生理の二日目だったのですが、生理痛ではなく、軽い腸閉塞《ちょうへいそく》と腹膜炎《ふくまくえん》という診断でした。婦人科との関係はないと見られて内科に入院。絶食・点滴療法で治療して、一週間で退院したのです。

でも一カ月たち、その次の生理も生理痛がひどく、入院中にも受診した同じ病院の産婦人科に行きました。子宮筋腫《しきゅうきんしゅ》が大きい上に卵巣嚢腫《らんそうのうしゅ》ができていて、内膜症《ないまくしょう》の疑いもあるということでしたが、年齢的にも閉経が近いので経過観察。先生は生理を止める注射をしてそのまま閉経逃げ込みの治療をすることを勧めましたが、私はなんだか怖くて断りました。

そして次の生理二日目で、今度はもっとひどい激痛、自分で救急車を呼び搬送されました。しかし婦人科の先生は重い生理痛だと勘違いし、鎮痛剤の座薬と、ドサクサに紛れて生理を止める注射をして、私を帰してしまったのでした。自分では歩けず、家族に来てもらって娘に車椅子で運んでもらい、お支払いは夫にしてもらいました。が、翌日どうにもこうにもおなかが痛く、張って、靴下も履けません。病院で出してもらった痛み止めも効かなかったので、婦人科の先生に電話すると、「昨日より調子良さそうだから様子を見て」と言われてしまいました。内科に電話するも、私の担当医は明日が外来なので、予約して明日受診してくれと。

翌日、内科を受診するも、診察後、「やはり大丈夫そうだから様子を見て」と言われてしまいました。でも不安だったので、せめて血液検査ぐらいしてくれとお願いしたのです。結果は、またもや腸閉塞と、重症の腹膜炎でした。その場で、今度は婦人科に入院。大きい病院はいつもバタバタなので、軽傷に見える患者はほっとかれるのですね。

今回の診断は、異所性内膜症でした。内膜症が腸にできていて、生理のたんびに腸の外側に出血。血糊《ちのり》のように臓器同士をくっつけて、動きが悪くなってしまうのだというのです。あとからネットで調べて知ったのですが、卵巣に内膜ができると、それがチョコレート嚢腫になるということでした。私のはチョコレート嚢腫だったのです。

強い炎症と、臓器同士の癒着がひどい状態では手術することもできず、五日間の入

※救急病院は救命が第一。大したことなさそうな患者さんはほうっておかれるので、自分から「せめて血液検査だけでもしてください」などとお願いすることが大切です。

院で腸閉塞と腹膜炎の治療だけして退院。ですが退院直前の生理八日目ぐらいから、レバーのような塊がドコドコ出るようになり、かなりの出血で、退院時ヘモグロビン値7（g／dL）※になってしまったのです。ひどい貧血で鉄剤も処方されました。

この病院の先生は「生理の残りの出血だから気にしないで」と言っていましたが、その後セカンドオピニオンを取りに行った病院の先生には、生理を止める注射の副作用だと言われました。一回目の注射のあとはそういうことが起こるのだと。

こうなると医者も選ばなきゃです。そして痛感したのは、生理のたんびに消化不良を起こし始めた二年前から、婦人科の受診をしていればよかったなという反省です。信頼できる街場のクリニックを探し、定期的に通っていれば、そしてもっと体のメンテナンスをしていれば、こんなことにはならなかったかも、といたく反省したのでした。

※一般的なヘモグロビン値は約11～15g/dLと言われています。

column

保険請求のプチアドバイス

入院したことがないと、保険に入っていても、その請求の仕方が分かりませんよね。うっかり日時が入っている請求書を捨ててしまうと、後日診断書を発行してもらうのに七千円もかかったりすることも！　事前に調べておいたほうがいいです。そして、請求書は捨てないこと！

3

入院生活もせめて快適に過ごしたい！

まさか私が？　というような人でも、入院する可能性が出てくる50代。今回私が腸閉塞で入院したという話をすると、結構「私も何度か……」という方はいるんです。腸閉塞は内膜症でなくても、過去に開腹手術をしたことがある人はなる可能性があるとかで、それが何十年前のものでも原因となりうるそうです。

二度入院してみて、実に様々、信じられないようなケースで急に入院しなければならなかった方たちにお会いしました。みなさん、元気なんですよね。私もそうですが、ふだん元気でイキイキ生活している人が、ある日突然ゲキ腹痛に見舞われて「ウソだろ？」的に入院する。だから治療によって峠を越えたら、入院中も元気を持て余してしまうのです。でも、完治するまで退院させてはくれないので、ここをどうするか。

私はまず病院内で点滴をぶら下げて行けるところは日参しました。液体摂取ＯＫになるまでロビーのカフェには行けなかったけど（笑）、コンビニがあったので、そこで何が買えるか挑戦していたのです。これはかなりのチャレンジでしたね〜。

なんせ生理なわけで、過多月経の私は血が漏れます。家族が持ってきてくれる着替えだけでは足りず、パジャマ、浴衣、パンツまで院内コンビニで購入したのです。デザインはともかく、優秀だなと思ったのは、パジャマのサイズ展開。S〜LLまであり、身長150センチの私にはSがぴったり。そして前開き、胸ポケット付きです。

ナプキンや、ちょっとした小物を入れて院内を出歩くのにポケット付きは便利だし、医師・看護師がたびたび回診に来るので前開きパジャマは大変重宝。そして浴衣は(これもSサイズがありました)、シャワーを浴びた後バスローブがわりに使えるんですよ！　シャワーは30分の時間制限なので、体が湿っているうちにパジャマを着ないですみます。

病室でゆっくりスキンケアやヘアドライなどした後、パジャマに着替え、看護師さんに点滴の管を差してもらえます。これも、入院してみないと分かりませんが、シャワーの時に1回管を抜いて、防水テープを貼ってもらい、入浴後またつけてもらうのです。針は刺したまんまです。チューブがついてからでは着替えられませんから、もうこのまま寝られる、という恰好に着替えてからでないと、装着できないのです。

コンビニのパンツはきびしかったですねー。マジこれ私が穿くの？ と思いましたが、穿き替えパンツがなかったので致し方なく……花柄のカボチャパンツです。まぁ、レトロで可愛いっちゃ可愛いんですが。もし生理用パンツが売られていたら、そっちのほうがいいかも知れません。

あとは院内書店で雑誌や気になる書物を買い、読書にふける日々。あんまり暇なんで、ノートパソコンを持ってきてもらい、原稿まで書いてしまいました。もちろん、院内では通信できないので、退院後入稿しましたが。間に合わない原稿は、コンビニにて購入したキャンパスノートに鉛筆で書き、切り離してファックスで送ることもできました。

院内コンビニでどこまで必要なものがそろうか、必要なことがどこまでできるか、に挑戦していた日々は、今考えると結構楽しかったかも。くだらなくてもクサるよりはマシですよね（笑）。

column

入院時のワンポイントアドバイス

入院中は、体調がよくなり次第、シャワーを浴びることができますが、ナースステーションで予約をとらないといけません。病院によっては午後からシャワータイムだと思いますが、午前中にお掃除が入るので、一番で入ると気持ちいいです。個室以外は共同シャワー室。婦人科は比較的若い女性が多く小綺麗ですが、他の科は微妙ですので早い時間がオススメ。

そして、病室からシャワー室にお風呂グッズと着替え、バスタオルなどを持って行くバッグが必要です。これはエコバッグのような折りたたみできる防水バッグが便利。プラス点滴をしている場合は、シャワーの前にナースステーションに寄って、いったん外してもらわなければ着替えられません。針のまわりを防水加工してもらい、シャワー後にまた点滴をつけるので、束の間の自由を楽しみましょう。

つまり、身繕いはすべてすませて、もうこれで寝られるという恰好に着替えてから点滴をつけてもらうのです。時間制限30分のシャワー室では足りないので、浴衣などを着て病室に移動してから、スキンケアやドライヤーをして、最後に点滴をつけてもらうのが◯。

4　突然の入院に備えて「入院バッグ」を準備しよう

家族がいる人は、家族にあれ持ってきて、これ持ってきてと指示することができますが、お一人様の場合、友達に頼むしかありません。でも友達も忙しくて病院に来られる日や時間帯が限られていると思いますので、心配な場合は、今のうちから入院に必要なグッズをバッグに入れておくことです。

これは、妊婦の出産バッグと同じ。いつ陣痛が始まるか分からないので、入院バッグを用意しておくというもの。とりあえず、パジャマとシャツ（肌着）、パンツ、靴下、冬場はカーディガンなどの羽織もの（院内で検査に行ったり、うろうろする時に必要）、スリッパか室内履き、フェイスタオル、食事用のスプーンとお箸、歯磨きセットとカップ、フェイスケア、ヘアケアセット。

これらは、カーディガン以外は院内ショップでだいたい売られていますが、まぁコンビニで手に入るレベルのものなので、大人女子は自分テイストのものをそろえておくと安心でしょう。入退院を自力でせねばならない場合は荷物が多くなっても大変ですので、旅行用のお試しセットコスメやヘアケアセットを入れておくといいかもしれません。

そして今回痛感したのが、ミニ湯沸し器の必要性です。病院では三食出てきますが、飲み物は冷めたほうじ茶しかついてきません。院内ショップではペットボトルの温かい飲み物は売られていますが、カフェイン入りが主流。カフェはいわずもがなです。

デイルームのような場所がある病院では、各種お茶と白湯が出てくるベンダーがある場合もあります。が、病院の一日は長く、夜眠れない時もあるので、ハーブティーのティーバッグやスープの素（具なしコンソメタイプ）と、ミニ湯沸し器が手元にあると本当にありがたいのです。

最初の入院の時は、看護師さんに聞いて給湯器のお湯でハーブティーを淹れていましたが、湯たんぽの並ぶ給湯室でハーブティーを淹れても飲む気がしませんでしたからね。二回目は家からティファールを持ってきてもらいましたが、大きくて邪魔になり、持ち帰るのも大変でした。

退院後、私はネットで検索し、トラベル用５００ミリの湯沸かし器を購入しました。

ケースもついているので、これで次回の入院は安心です。

入院時はミネラルウォーターを院内ショップで購入しておけば、いつでも温かいハーブティーやスープがいただけます。

シャワーを浴びられる段階になったら、バスタオル、垢すり、髪の毛を包むタオル等も必要です（ドライヤーは貸してもらえます）。何日間の入院になるかが分かっている場合は、事前に準備しておくと無難でしょう。ボディシャンプーはあってもいいけど、可愛い石鹸ケースがあれば、顔を洗う石鹸を流用したほうが荷物も減ります。

そして今回の入院で痛感したのが院内の乾燥。エアコンかけっぱなしなので異様に乾燥しているのです。かといって電気コードでつなぐ加湿器ではスペースもないし、他の患者さんの手前、気が引けるでしょう。可愛く小さいエコ加湿器なら、自分のテーブルに難なく置けて、見ても心が潤うし、自分のお部屋感を演出できます。ルームスプレーをまくのは気が引けるので、香りの演出はサシェでしました♡

column

入院に必要なもの

突然の入院に備えて入院バッグを用意する際、これがあれば便利！ というものを考えてみました。参考にしていただけたら幸いです。

お一人様用湯沸かしポット／エコ加湿器（電源のいらないもの）／携帯用アイマスク／室内履き／ガーゼの浴衣／前開きパジャマ／ＭＡＲＫＳ＆ＷＥＢのトラベル用コスメとソープ／同じくＭＡＲＫＳ＆ＷＥＢの好きな香りのサシェ／木製スプーンと箸セット（病院のカトラリーは味気ないため）／歯磨き用コップ／お茶用マグカップ／ライトがつく時計／ハーブティー各種／セントジョーンズワートの錠剤（睡眠導入剤→61Ｐ参照）

5　体調の変化を自覚するためには？

40代以降、「一年に一度の定期検診は必要」と、口を酸っぱくして言われても、「メンドクサイ」「怖い」「病院嫌い」などの理由でパスしている方も多いのではないでしょうか。会社勤めなどされている方は、いたしかたなく毎年していると思いますが。

私も、具合が悪いと区の検診も行くのですが、いつもは「こんなに体調がいいんだから大丈夫」とばかりにパスしてきました。最後に健康診断を受けたのは三年前。雑誌の体験取材で受けた高級婦人科ドックで、子宮筋腫はあるものの、あとはパーフェクトに健康だったので、経過観察ということになっていたのです。

三カ月おきに銀座のサロンクリニックに通い、月経量を少なくするピルを飲み続けるという話になっていたのですが、初回三週間のピル服用で具合が悪くなってしまいました。やっぱ私にはピルは合わないんだわ、ホルモンをいじると癌になるっていうし……と、以来定期検診にも行かず、今回のようなことになってしまいました。

最初の病院では、異所性内膜症による腸閉塞との診断でしたが、評判のいい先生のところへセカンドオピニオンをとりに行ったら、なんと卵巣嚢腫の破裂による内出血と腹膜炎だったのです。定期検診にさえ行っていれば、もっと初期の段階で治療ができたかもしれません。そして一度目の入院のあと、信頼できる先生のところで治療を受けていれば、二度目の信じられないような激痛は経験しないですんだかもしれなかったのです。

それにはやはりホルモン治療しかなかったとしても、自然療法も駆使してメンテナンスしていれば、内出血による臓器同士の癒着も免れたかもしれません。私の同世代の友達もやはり、定期検診で腸にポリープが見つかり、局部麻酔で肛門からの内視鏡手術によりとることができたそうなんです。ほっといたら開腹手術になっていたかもしれないと思うと、定期検診の重要性を痛感しますよね。

私の場合ですが、もう二年ぐらい前から、生理のたんびに消化不良になるというのは自覚していたのです。それがだんだんひどくなり、半年くらい前からは、胃腸薬のお世話になっていました。婦人科系疾患のせいとは知らず、年齢のせいで消化不良になっているんだと思い込んでいました。

講演会にいらっしゃった方の話ですが、ある日突然激痛に見舞われ、救急搬送された時には子宮頸がんが腸を突き破っていたそうなんです。幸い手術と抗がん剤治療で元気になられましたが、手遅れになるケースもあると思うので、刻一刻と変化する体調を観察しつつ、おかしいと思ったら早めに受診することが肝心です。

その方も、手術後のほうがずっと体調はいいそうです。私も、腹腔鏡《ふくくうきょう》で卵巣摘出の予定です。もう二度とあの激痛は、体験したくありませんからね。

自然療法好きの私ですが、ひどい痛みや炎症が出たりしたら、つらいだけでなく結局薬漬けです。50歳になったら、いや、その前から、いい病院やクリニックを探し、病院やクリニック、ドクターやナースと仲良くなっておくべきですね。

どこも具合が悪くなくても、検査は大切。前向きに受けるようにしましょう。

※いい先生を探すプチアドバイス
自分の周りの人に先生を紹介してもらうのが一番です。その先生に手術も受けたことがある人の意見ならなおよし。早く受診して相性を確かめてみることをオススメします。

6

「信頼できるドクター」を探そう

私は30代で、子宮筋腫治療を通して嫌な思いをした経験から、西洋医学のドクターに信頼が置けませんでした。お産の時ですら、自然分娩のクリニックを選んだぐらいで、この年までほぼ医者にかからず、自然療法で不調を改善してきました。

が、ここから先は、そういうわけにはいかなそうです。友達のヨガティーチャーも、膝の痛みを自然療法でなんとかしようとしたけど及ばず、とうとう手術することに。私も同じく。二人で「年には勝てないね～」と言い合いました。

そして今回、二度の入院で学んだことは、大事に至る前から、信頼できるドクターを探しておくことです。人間なかなか、痛みや大出血などなければ婦人科に行こうとは思わないものですが、この本を読まれた方はぜひ、信頼できる先生を探してください。

有名な先生で大学病院となると、初診は予約を受け付けず、待ち時間もハンパではないので、通える範囲のクリニックの先生と懇意《こんい》にしておいたほうがお得です。その先生がかつて勤めていた病院や連携病院に、大事に至った時に紹介状を書いてもらえるからです。

私は知り合いの編集者からある大学病院の先生を紹介してもらいましたが、初診で五時間待ちました。人気のある先生は、それぐらい覚悟しておいたほうがいいです。それでも、たった一つのこの体、任せて安心な先生に出会うまでは、仕方のないことだったかもしれません。

私がかつて体験した「有名大学病院で、招介状があっても三時間待ってけんもほろろの五分診療」という感じではなく、にこやかに懇切丁寧な説明と診療をしてくれましたからね。経験も豊富で、この人なら診断にミスはないだろうという確信が持てました。

街場のクリニックでも、人気のあるドクターのところは、予約していても一時間以上待たされることがあります。それでも、安心にはかえられないので、もうここは読書タイムと割り切って、ゆるっと過ごしましょう。

私はこれまで、西洋医学の先生なんて、切ったり貼ったりの薬漬けで、誰にかかったって同じでしょう？　ぐらいに考えていたのですが、違いました。大きい病院でも、「ここの産婦人科でいいんですか？」と他の科の先生が患者に聞いてしまうぐらいのところもあるし、「この先生でいいんですか？」と、問診係の看護師が患者に聞いてしまうぐらいの先生もいるんです。

「今思えば……」の話ですが、気にしなさ過ぎました（笑）。

ネットで名医を探してドクターショッピングするより、私は、実際にその先生の診療なり手術を受けたことがある知人のクチコミが一番いいと思います。どこどこ病院の、何先生でなければダメ、というぐらい強く信頼している先生が、必ずいるはずですから。ブランド病院ならいいというものでもありません。

それでも、相性というのもありますから、自分が行って実際に会ってみて、好感を持てたらマルです。嫌いでもブランド病院の名医だから、というのではNGだと思います。だって、丸腰で体預けるわけですから。そしてこれから通うことを考えると、まずドクターである前に人間として好感が持てることが重要です。

7 病院以外の「体メンテナンス法」もおさえる

退院後、生理を止める注射の副作用で玉のような不正出血が続き、貧血でフラフラ。重症の腹膜炎の後遺症でまだ軽い腹痛も残っていました。おなかの中は何かが貼りついた感じがとれないし、頭痛や肩コリもありました。もはやロータス（私が主宰するサロン）常駐のセラピストでは手に負えず、その師匠、山田先生に来てもらうことになったのです。

山田先生は自然療法家で、主な手技《しゅぎ》は手かざし療法。でも必要ならアロマも温湿布も整体もやる先生で、母方は能楽師の家柄。能楽師だったおじい様が野口整体その他の自然療法愛好家で、その影響からこの道に入ったとか。今では様々な職種のプロフェッショナルのボディコンディションを担う傍《かたわ》ら、難病の患者さんも方々に抱える多忙な日々を送っています。

体の中のことは、正直お医者さんにも１００パーセントは分からないと私は思います。もちろん検査は大事だし、激しい痛みや炎症など医療介助が必要な状態になったら、それなしには生きられません。でも、退院後の立ち直りを早くするため、もしくは未病を防ぐために、ボディコンディショニングは本当に必要だし、ありがたい存在なのです。

実は三年前に一度山田先生の治療院には行っているのですが、その頃はこれといった不調を感じていなかったので、続けては行きませんでした。でも、今回退院後、絶不調だった時先生に診てもらい、エネルギー調整と整体をしてもらって、その効果に驚きました。術後、夜中に多めの出血をしたのはいらない血が出たようで、翌日からは少量に。おなかの痛みも軽減され、みるみる体調がよくなってきたのです。

一週間後、またロータスに来てもらい施術をしてもらいました。一週間前とはうってかわった元気さで、施術中もずっと先生とお喋りしている状態。施術後はより一層元気になり、ついこの間入院していた人とは思えないほどになっていたのです。卵巣囊腫の腫れによる違和感と痛みも軽減。恐るべし山田パワーです。

何をどうしているのかさっぱり分からないけど、辛さが軽減され、体調がよくなるなら、やってみる価値はあると思いました。腹腔鏡で卵巣摘出手術をするまでに、できるだけコンディションを整えるべく銀座の治療院に通うつもりです。術後の立ち直りも違うと思うので、手術したらすぐ来てもらうつもり。動けない場合に限って、病院にも出張してくれるので安心です。

それ以前に、なぜまだ症状の出ていなかった三年前からコンディショニングをお願いしていなかったのかと反省しきりですが、まぁ人間そんなものです。激痛で思い知って初めて、自分の体を労《いたわ》る必要性を感じる。アフラックの宣伝じゃないけど、婦人科系の病気があったって、「運動してりゃ大丈夫でしょ」とばかりに、軽視していたのでした。

もちろん健康維持に運動は大切。でも、50歳を過ぎたら、いやさ50歳を目前に控えたら、定期的にその道のプロに委ねて、ボディコンディショニングはしてもらったほうがいいのですね。

専門医の定期検診と、自然療法家の治療、両方必要な年齢だとつくづく実感した次第です。

※山田先生の治療院「The Natural Healing」
TEL　03-5250-8788

8

「肺活量」が要だ！

私の友人で、70歳現役編集者という元気印の女性がいるのですが、定期検診で大腸がんが見つかり、手術しました。彼女曰く、身動きできない術後の回復期は、肺活量がすべてを担っている、と。呼吸が深くできる、酸素をたくさん取り入れられるという力があるかないかで、回復力は断然違うのだと言います。

「そのへん理香さんはベリーダンスやヨガで肺活量も多いだろうし、大丈夫よ」

とおっしゃっていましたが、今回は違いました。

激痛で呼吸が浅くなり、体もガチゴチに固まってしまったのです。そのうえ入院中はほぼ一日中ベッドの上だし、退院後もひどい貧血で自宅療養。まだ腹部の痛みも不正出血もあったので、運動は無理でした。一週間後からベリーダンスを再開し、山田先生にも来てもらって、やっと本来の体力を取り戻していったのです。

初回の施術では、体が固まり過ぎていて、ほとんど触れなかったと言われました。

いつもの私は「横森流ベリーダンス」を踊っているので、肺活量も筋肉量も多く、血圧も体内酸素量も安定しているのです。あまりに状態がいいため、血液検査で結果を見せられるまで入院もさせてくれないのですが（笑）、その値は、普通なら平気な顔して歩いて病院に来られるようなものじゃないと、ドクターにもナースにも言われました。だからおなか痛い、息できないって言ってんじゃん！

うちの夫でさえ、「具合悪いと思わなかった」と……。わ、私が嘘をついてるとでも!?　しかし内科医が触診して顔も診て、「大丈夫そうだから様子見て」と言われてしまう自分に、自分自身でも驚きが隠せません。「先生せめて血液検査だけでも」とこちらからお願いしなければ、そのまま帰されてしまったのです。

とまぁ健康自慢するわけじゃないけど、山田先生も運動は大切だと言っていました。ご本人もホノルルマラソンに出たぐらい走り込んでいると。私も少々体調が悪くてもベリーダンスを踊らないとますます体調が悪くなるので、踊らずにはいられないのと同じですね。

お出かけもそうです。あまりにもひどい貧血の時は家から出られませんでしたが、するとますます足腰も弱り、体力も低下。階段の上り下りもこたえるようになってしまうのです。だから嫌いなレバーも食べ、鉄剤も飲み、一週間後の検診でヘモグロビン値8まで上げたところで、出かけ始めました。

着替えて歩くだけで気分も晴れ晴れするし、体力も少しずつ復活します。これは、なんにも病気がない人でも、健康度をUPさせるために必要です。

病気になりづらい、病気になっても回復力の高い、病気があっても元気に生活できる体作りには、日々の生活行動が重要。早寝早起き、適度な運動、気分転換、そして健康的な食生活が、ことのほか大切なお年頃なのです。

9

体の巡りをよくしよう

私の親友は40代で子宮を全摘出しました。子宮筋腫が大きくなりすぎて前にせり出し、オシャレができなくなったからという理由からでした。私の子宮筋腫はお尻のほうに向かってできているので、幸い大きくても目立たないのですが。

全摘した後に更年期障害がきて、コレステロール値は一気に高くなり、不眠や落ち込みに悩まされるようになりました。手術をした病院の更年期外来で睡眠薬や抗うつ剤を処方されるも、彼女がとった方法は、菜食とジョギングでした。

それまでの食生活を見直して、ほぼベジタリアンの生活。真夏は真夜中や早朝、冬は暖かい日を狙って走り続ける彼女曰く、「更年期は気力だよ」。頼れるのは気力しかないと。でも、その気力がなえてダメダメになってしまうのが更年期なんじゃん、と、まだ子宮も生理もある私は思いましたが。

でも、もともとの体力の違い、身体能力の違いもあるので、一概には言えないのですが、その人のレベルにあった方法で運動をするのは、更年期においては必須。私はダンスかヨガか、お出かけ程度の徒歩しかできないのでそうしています。車に乗ると徒歩が稼げないので、お出かけもできるだけ公共機関の乗り物を利用するようにしています。

極寒極暑を避けて天気のいい日は、駅まで自転車に乗ります。でもこれも、40代後半で上り坂がきつくなってきて、電動自転車に変えたのです。運動量を稼ごうとして、心臓に負担かけてもしょうがないですからね。ヨガも、40代中盤では筋トレ系ヨガをやっていたのですが、後半では足腰を壊すようになり、ゆるやかヨガに変えました。

加齢はどんどん進むのです。運動していたって筋力は衰えるし、もともと体力がない人は、もっと体力がなくなってきます。自分の体調や体力を考えて、無理のない範囲で健康度をUPする方法をとらないと、壊してしまっては元も子もありません。

体の巡りをよくするには、適度な運動をするのが一番。運動が嫌いでどうしてもできないという人は、出歩く、家事をする、でもいいでしょう。とにかく体を動かすのです。すると、肉体疲労から夜もよく眠れます。

二番は入浴。38度ぐらいのお湯にゆったりつかり、体を洗ったり洗髪したりしながら、出たり入ったりを繰り返すのです。これも結構な運動になります。私は歯磨きもクレンジングもパックもお風呂で温まりながらしてしまいます。本を読むという人もいます。長湯の秘訣&時短テクです。

三番はマッサージ。人にやってもらうのは毎日というわけにいかないので、セルフマッサージを覚えましょう。私も、毎晩お風呂上がりにはスキンケアを兼ねてオイルを足に塗り、マッサージしています。入院や自宅療養で運動できない時は、「和みのヨーガ」というゆるやかなヨガのＣＤやＤＶＤで手当てをしているのです。

全く体を動かさないで、体の巡りをよくする漢方やサプリなど飲んでも、気休めに過ぎないかもしれません。本当に動けないならともかく、自分の足で歩け、体を動かせるなら、それを楽しまない手はないのです。ベリーダンスも、「命を寿《ことほ》ぐ踊り」ですから。

10

「食生活」は基本中の基本

これは、なにも更年期だけのことではないのですが、心身の調子を整えるのはやはり食事が肝心要。それも、年をとればとるほど、自分で作った簡単なものが美味しくなり、また、心身にもよくなってきます。

まず、外食は量が多いので、太るだけでなく消化器系に負担がかかってしまいます。気分転換のランチや、たまの女子会、家族の週末ディナー、そして誕生日などのお祝い事の時はもちろんハレの気分で外食もいいのですが、基本はやはり手作りの食事です。

手作りならば、旬のものをすぐさま取り入れ、その時の自分が何を欲しているのかをダイレクトに反映させることができます。量も加減できるし、料理屋さんではできない「前菜とデザートだけでメインはナシ」、ということも可能なのです。

気分が欲するもの、体が欲するものを自分でデザインできる素晴らしさは、何物にも代えがたいと私は思います。「台所は家族の健康を司《つかさど》る薬局」であると、よく言われていますが、お一人様だってそれは同じ。自分の健康は自分で作るのです。

そして50代以降は、たまに減食しておなかを休ませるということも必要になってきます。私たちはまだ貧しい時代に育った母親に育てられていますから、「食べなきゃ元気になれないよ」と、無理にでもたくさん食べさせられて育ちました。だから、体が弱っていても、食べないと死んでしまうとすら思うのです。

でも、人間、一食、二食抜いたぐらいでは死にません。それどころか内臓が休まり、イキイキとしてくるのです。逆に、おなかが空いてなくても惰性で三食食べるのは体に負担をかけてしまいます。癖で朝、昼、晩とどうしても食べたかったり、家族との都合で食卓に着かねばならなかったとしたら、内容を選べばいいのです。

おなかが空いていなかったらスープやサラダだけにしておく、とかですね。

私は、ご飯ものは胃にもたれるので、朝はトーストとフルーツヨーグルトやサラダ、昼は麺ものかお粥、夜はワインにおつまみ（家族のおかず）、です。ごはんを食べるのはたまに炊き立てのご飯に生卵をかけて食べたり、酢飯を作った時ぐらいでしょうか。

搾りたてジュースにハマった時期もありましたが、子どもとオヤジがいて毎日おさんどんをしなければならない生活では、自分のために手間暇かける余裕もないので、今ではたまの贅沢です。無農薬の宅配便にリンゴやニンジンが入っていれば、作ります。ここにショウガ、青菜一株、セロリなんかも加えるとGOOD。

搾りたてジュースを飲んで酵素パワーで細胞イキイキ♡　ジュースを作るのが面倒な人は、野菜サラダを作ってモリモリ食べましょう。その際、市販のドレッシングはやめて、エキストラバージンオリーブオイルや亜麻仁油、バルサミコ酢やワインビネガーに岩塩パラッとかけるぐらいでシンプルにいただくほうが美味しいし、健康的。

春はレモンオイルにハマっていました。レモンが入っているので、ビネガーを使う必要もなく、ソルト&ペッパーぐらいで美味しくいただけます。冬は生野菜は冷えるので、蒸したりスープにしたりしていただきましょう。体を温める味噌汁は、一年中いただきましょう。

第2章

自宅でできる
快適術

1 とにかく質のいい睡眠を!

女性ホルモンが激減するこの時期、不眠で悩まれる方も多いと思います。病院で処方された睡眠導入剤など一時的に使用せざるを得なくなる場合もあるかもしれません。が、睡眠薬は飲み続けると効かなくなり、どんどん強くせざるを得ないっていいますから、依存はよくありません。

夜眠くなるには、早寝早起きの規則正しい生活にすればいいのです。私は娘と一緒に八時には床に就きますから、いやでも日の出とともに目が覚めます。PMS(月経前症候群)の時など早朝覚醒するので、夜中に何度も目が覚めてしまいます。でも、また寝てしまえばいいのです。40代では夜中に起きて、夕飯の後片付けをしたり、ワインを飲みながら料理をしたりしていましたが、50歳になった今、そんなことをしていたら翌日ボロボロです。

トイレに行ったり水を飲んだりはしますが、階下に降りることはせず、また横になってしまえばうとうと眠れます。何時なんだろう？　と思って暗闇で時間を確認するため、うっすらライト付きの時計を買ったぐらいですから。あと何時間眠れる、と思えば、気持ちもラクになります。

夜たっぷり眠って、昼間行動的に過ごせば、肉体疲労で夜は必然的に眠れます。夕方以降は仕事も家事もせず、夕食と、お酒の好きな方なら晩酌程度のお酒を嗜《たしな》み、ぬるいお風呂に入って交感神経を副交感神経にリセット。すぐさま寝てしまうのです。

私の体感として、赤ワイン半杯ぐらいか、日本酒少々が一番眠れます。これ以上飲むと酔いが覚めたときに目覚めてしまうし、白ワイン、泡系はシャキッとして眠くなりません。体を冷やしてもいけないので、常温のワインか日本酒、冬は赤ワインすらお湯割り、お酒は熱燗にしていただきます。

カフェインのとり過ぎもよくありません。私は朝のコーヒー一杯だけは毎日いただきますが、あとはほとんどカフェインレスです。日本茶も、和食の後や和菓子の際にはいただきますが、三時以降はハーブティーにしています。カモミールやミントなどのハーブティーが飲みやすくオススメ。ルイボスティーも、ほとんど紅茶の代わりに飲めます。

パソコンやテレビなどのブルーライトも脳を覚醒させてしまうので、夕方以降はできたら見ないほうがいいでしょう。JINZ　PCをかけても、夜は必要最低限度のメールチェックしか私はしません。仕事の確認事項があっても、翌朝に回します。

とにかく夜は寝るのですよ。目覚めても、しつこく寝るのです。嫌な考えや不安が頭をもたげてきても、忘れて寝るのです。自分が気持ちよくなる妄想はOKですよ。気持ちよくなると、眠れますから。アイドルとのラブラブシーンを想像して眠りにつく……最高じゃないですか！　アラフィフになったら、「妄想タイム」を自分に許しましょう。

夜十時から二時までの間は治癒力のゴールデンタイム。この四時間を熟睡するため、日中すべての用事を前倒しにし、夕方以降は寛《くつろ》ぐのです。テンション高いまま、さあ眠れ！　と言われても無理ですからね。クールダウンの時間は必要です。

どうしても眠れないという方は、天然のサプリ、セントジョーンズワートを試してみて！

column

セントジョーンズワートは更年期に効く！

セントジョーンズワート（西洋オトギリソウ）は、かつて時差ボケ調整の薬として知られていたのですが、今では不眠や更年期症状に効く自然薬として広く知られるようになりました。

不安感が強く、イライラして、ハイテンションになってしまう更年期。あまりにも症状がひどい場合には、朝から１粒ずつ、一日三回飲むとより精神安定効果が高いそうです。私は昼間は快調なので、夜、寝る前に１粒飲んでいます。

それでも夜中に目覚めてしまった時は、もう１粒飲んで、眠くなる本や漫画をベッドで読むのです。ここで決して、家事や仕事を始めないのが大切。

ひとつ気を付けたいのが、この薬はその他の薬やお酒と一緒に飲まないこと。その効果を無くしてしまうだけでなく、悪夢を見る可能性があります。これ、私だけかもしれないけど、お酒とメラトニンを一緒に飲んだことがあり、大変気持ちの悪い夢を見てしまいました。カプセルだけでなく、ハーブティーにも同じことが言えます。

2

「冷えとり」は夏も継続する

冷え性や不妊傾向の方、また生理痛のひどい方は、もうとうに冷えとりに策を練っておられることでしょう。私は長年の子宮筋腫持ちですが、痛みはなく、今回初めて痛みを知りました。痛みがある時は、温めるとだいぶ改善しますね。

生理痛がひどくなったのは今年に入ってから。一月の入院のあと、ネットで調べて、婦人科系の病気に強く、冷えとりの指導もしている整体の治療院「菊地屋」に通いました。

先生はまだ若くてイケメンですが、キャリアは十年以上というベテラン。場所も代官山なので、アラフィフ女子がお出かけがてら寄るには適当な治療院だと思います。

菊地先生は、手当て療法で治療するのですが、冷えとりのセルフケアを勧めていて、シルクと綿の二重構造のソックスも販売しています。彼自身、五枚穿きしているそうで、色々試した結果、ここのメーカーのものが一番蒸れずに温かく、穿きやすいとい

※「菊地屋」のホームページアドレス
http://kikuchiya.info

うことで販売しているそうなのです。

私も早速購入、寒い時は二枚穿きしていました。冷え性の人は夏でも五枚穿きとかしてますよね。めんどくさくて私はできませんが（笑）。プラス、湯たんぽによるおなか温め。菊地先生オススメの「ｆａｓｈｙ」というドイツのブランド湯たんぽが可愛く、娘のぶんと大小三つ購入、冬の間、寝る時はおなかに抱えて寝ていました。

暖かくなってくるともう無理ですが、ちょっと冷えたな、とか、生理痛っぽい痛みを感じた時は、小汗かいてもミニ湯たんぽにお湯を入れておなかを温めると、治ってしまうのです。これがホッカイロやチンするホットパッドより、湯たんぽのほうが治癒効果が高いと菊地先生はおっしゃいます。中身がお湯だけに、お風呂に入るのと同じ効果があるのかも。

お風呂は当然毎日腰湯を20分するのがお約束。腰湯は、みぞおちの下まで入り、肩が冷えたらざぶっと首まで浸かり、また腰湯のポジションに戻る。これも20分って結構きついのですが、冷えとりの効果は高いと思います。頭寒足熱が健康の基本なのです。

暑い季節になっても、湿気や冷房で思いのほか体は冷えているものです。ぬるいお風呂にゆったり浸かって、じっくり温めると同時にリラックスもできますから、よく眠れます。真夏でもお風呂は、アラフィフ女子の鉄則ですよ。

また、夜のお出かけや手術、入院など、なんらかの事情でお風呂に入れなかった場合も、ミニ湯たんぽでサクッとおなかや足など温められるので、湯たんぽは一年中活躍すると言えるでしょう。発熱時やホットフラッシュの際、氷枕としても活躍します。

シルクと綿の二重構造のソックスはいろんな色があるので、コーディネートに便利。私は真夏日になるまでワンピースの下はスパッツに五本指ソックスなので、使用頻度はハンパではありません。裸足で爪先を出すのは極暑の一瞬だけ。肌着も真夏でも必ず着ます。冷たい飲み物、食べ物も極暑の暑さしのぎの際だけ期間限定で楽しみます。

バブル世代ですから、キンキンに冷やした泡系の飲み物とか大好きですけどね、お祝いの時だけにいたしませう。

3

50代の「頭寒足熱ライフ」

加齢のせいか、更年期のせいか、50代となればとにかく手足が冷え、頭はのぼせます。熱もないのに熱っぽい時、私は冷えピタシートを貼りますが、湯たんぽを氷枕にして寝るという人もいます。私は真夏、保冷剤をミニタオルに包んで顔に当てます。

顔汗は、もう団扇《うちわ》かお扇子であおぐしかないざんす。なんせドッと汗が出るのが顔だけなんで、収まるまであおぎ続けるしかないのです。団扇に関しては、夏場街で配られるプラスチック柄《え》のものはあおぎづらいので、ちゃんとした木の柄の、使いやすいものを選びましょう。酢飯を作る時も重宝しますよ。

私は冬場、子宮の前と仙骨部分にホカロンを貼っていますが、菊地先生曰く、ホカロンの冷えとり効果はあまり高くないとか。レンジでチンするつぶつぶクッションもまた同じで、湯たんぽに勝る冷えとり効果はないのだそう。

でもまぁ、お湯を沸かして入れるだけなので、エコでもあり、慣れれば簡単。春から夏にかけて、そしてホカロンを貼るほどの寒さじゃない初秋も、ミニ湯たんぽがあればサクッと一時的におなかや腰を温められます。

足が冷えた時は足に敷いたり、くるぶしに挟んだりしてもいいし、冷え性の人は足枕用、腰とおなか用と三つ常備しているそうですよ。それでもお湯を沸かして、火傷《やけど》しないように注意しながら湯たんぽを作るのがどうしてもメンドクサイ、そんな気力ないわぁ、という人は、レンジでチンするホットピローでいいと思います。冒頭で紹介した「温香楽」なんてオススメ。

霧吹きしてチンすればスチーム効果もあり、数時間もちますからね。適度な重さもあり、香りのたつものならなお癒し効果大です。足湯もいいのですが、フットバスにお湯を入れて運んで、また片付けるというのが億劫になるお年頃。私のフットバスもお蔵入りしています。どうしてもという時は、お風呂に浅くお湯をはり、足だけ浸るのが簡単です。

五本指ソックス重ね穿きも、真冬の極寒時以外は、メンドクサクてやんなくなっちゃうのは私だけではないはずです。深刻な冷え性か、健康オタク以外は……。もちろん小寒い日のヨガやダンスやピラティスの時は、滑り止め付き五本指ソックスを穿きますけど、重ね穿きは春のお彼岸頃卒業しました。

でもワンピースの下にもスパッツに五本指ソックス、ニーハイブーツで春も過ごしますよ。上は薄着でも、下はしっかり穿き込んでいます。もうどうしても暑くて我慢できなくなるまではブーツを履き続け、夏になったら歩きやすい靴に変えますが、サンダルになるのは真夏の極暑時のみ。

夏でも、キンキンに冷房のきいた室内に長時間いる予定がある時は、ホカロンかヨモギ温熱パッドを持参して、トイレでサクッと貼れるようにしておきます。サンダルを履いていても冷房対策に靴下や羽織ものを持参するのもお約束。夏の旅行で飛行機に乗る予定のある方は、機内用により一層の防寒対策が必要です。分厚いパーカーなどいいでしょう。

真冬は羽毛の室内ブーツと膝当て、レッグウォーマー、腹巻き、ふわポカパンツ、寝冷えしない羽毛ベストを駆使して、とにかく冷えないようにします。一年中毎日お風呂で芯から温まり、夏でも温かいものを飲むのがお約束です。

4

レトルトだって選べばイケる！

若い頃は、家族がいない昼間、残り物で一人寂しくランチをする友達の叔母さんを見て、心寂しく感じたものです。40代まではママランチも友達とのランチも楽しく、家族でも休日ランチに出かけました。平日のお一人様ランチもまたゆっくり味わえていいものです。今でも消化能力のいい時は一人でもランチに出かけます。

しかし50代。体が弱っている時に外食はちょっときつくなってくる。私なんか体が小さいので、一人前を半分も食べたらおなかいっぱいになってしまうのです。残すのももったいないし、無理して食べると今度は夕飯が美味しくない。

夜は夜で、子どものおなかが空いているとなれば、作らないわけにはいかないので、作ったからには自分も食べたいじゃないですか。そこで無理して、消化器系に負担をかけてしまうのです。

朝もお弁当を作り、家族に朝ごはんを出さなきゃならないので自分も食べます。夫が早出で子ども一人だったらなお、一人で食事させるのが可哀想で一緒に食べる。でももし一人だったら、朝はスムージーだけでじゅうぶんかも。

お一人様なら、家族の食欲に振り回されることもなく、自分のおなかと相談しながら食養生できますから、50歳以降は逆に健康的かもしれません。物事には、ホントにいい部分と悪い部分があるものです。

そこで一人の昼食は簡単なものにします。レトルトのお粥かにゅう麺。これに勝るものはナシです。お湯をかけるだけでできるインスタントのにゅう麺やレトルトのお粥はホントに簡単で美味しく、ハズレがありません。家で食べるとしたら、貧血対策の常備菜などが冷蔵庫にありますから、それをおかずにして。

主宰するコミュニティサロンでランチする時も、インスタントにゅう麺かレトルトのお粥持参で行きます。そのほうがおなかがラクで、体調がよくなるんですよ。もし、買って食べるなら、デパ地下やヒルサイドパントリー代官山などのデリでサラダとスープを購入します。すると、夕飯時にはすっかりおなかが空いて、また美味しくいただけますからね。

ランチまでしっかり手作りの健康弁当にすると、その労力と精神的負担が自分を健康オタクにしてしまいます。たとえばじゃあ、昼間も搾りたて生ジュースで……としても、無農薬野菜やフルーツをしこたまそろえて作って、一瞬で飲んで、後片付けがまた大変ですからね。今では街場にジュースバーもできていますから、昼ぐらいはラクしてもいいのではないでしょうか。

もう、料理が好きで好きで！　という人以外は、かつて好きだったとしても、だんだんかったるくなってくるのが50代です。最低限、自分と家族の健康を守るために料理はしますが、昼ぐらいは手抜きでおなかも心もラクにしてあげましょう。

私は今回、退院後に色々試してみて、冷凍や缶詰のスープも結構美味しいことに気づきました。病み上がりに自分で料理するのは大変だし、外食するにも出かけられない状態。出来合いのものをネットスーパーや通販で購入、届けてもらえれば助かります。

これは何も病気や病み上がりの人だけでなく、更年期で調子の悪い人、また、健康でも極寒極暑でお出かけがままならない時に、誰でもできる手なのです。

5 ちょこっと「コタツ的家電」のススメ

頭寒足熱といえば、私は更年期以前に、頭から温かい風が吹くエアコンが嫌いで、足元暖房としてガスファンヒーターを使用しています。

仕事机の足元、台所の足元、リビングの足元、お風呂の脱衣所はガス栓を引いていないので小さい電気ヒーターを置いています。真冬は浴室暖房をかけることもありますが、先に暖めておいて、入る時は切ります。

主宰するコミュニティサロンも、同じく足元ガスファンヒーターでほとんどまかなっています。真冬はエアコンをかけて事前に部屋を暖めておくこともあるけど、クラスや講座が始まる時は止めます。上からの暖かい風はのぼせるだけでなく、喉や気管を刺激して咳のもとになりますし、顔を乾燥させシワのもとになりますからね。

私が年齢相応に見えないのは、長年の足元暖房による成果もあると思います。ときどき、お出かけして長時間乗り物やビルの中にいると、エアコンの風で顔が乾燥して、喉も痛くなってしまいますから、お勤めの方はさぞお辛いでしょう。今回入院した時も、前回の乾燥を鑑《かんが》みて、マイ加湿器を持って行ったぐらいですから。そしてマスクは24時間つけていました。

マスクは感染防止のためだけでなく、乾燥防止もしてくれるので、家でもエアコンかけっぱなしの方は、寝る時マスクをして寝ると、喉と口元の乾燥をまぬがれることができます。自分の息で加湿してくれるので、唇のタテジワやほうれい線にも効果大ですね（笑）。

しかしここまでやっていても、50歳を前にして腰が冷えてきました。40代後半の冬、友達とリビングで鍋をつつきながら飲んでいたら、翌日、人生初めてぐらいの腰痛になってしまったのです。腰が冷えてきたなぁと思っても、お喋りに夢中でほっといたからです。これはよく、お花見でなる〝花冷え〟パターンですよね。

そこで50歳の冬から投入したのが、あったか敷き毛布。ごろ寝マットという商品名で販売されているものですが、要はリビング用の敷き毛布です。これをソファの上に敷いたり、床に座る時は腰のほうまで温まるように敷き、腰回りあったか。猫も大喜びです。

そもそもうちのリビングはラムの敷物が敷いてあり、足元にはガスファンヒーターがあるのですが、それでも足りないほど足腰冷えてくるのが50代。ここでコタツに入ったらオバン街道まっしぐらだし、コタツは肝心の腰、背中にスキあり。

通販雑誌を見ていたら、遠赤外線内蔵のコタツクッションなるものが販売されていて、腰回りがすっぽり温かい、というので購入してしまいましたが、これはデザイン的にNGだったので、仕事机の椅子に設置しました。

仕事椅子も背もたれの下に隙間があり、腰が冷えてしまっていたので、ちょうどよかったのです。そこに湯たんぽを置いて、腰回りもあったかです。

あったか敷き毛布は、春先、暖かくなってきたところでしまわず畳んでおき、また小寒くなったら広げて電源を付ければ、寒暖差に対応できます。暖かくなってきたからといって、うっかりリビングを夏仕様にしてしまうと冷えてしまうので、梅雨時までは要注意です。

6

冷えとり靴下重ね穿きの是非

痩せていて青白く、見るからに冷え性という感じの方が、

「私、シルクの五本指ソックス五枚穿きしてます」

と言ってもすんなり納得できますが、痩せてもおらず元気そうな人が、いきなり着ぐるみのような靴下を脱いだらびっくりしますよね。

いや、実際いたんです。私の「ベリーダンス健康法」のクラスに来た方で、手湿疹を治すために冷えとりを実践されている方が。

「今、八枚穿いていますが、足指が布団にくるまれているようで気持ちがいいんです。私の師匠は、十八枚穿いています」

と、もはや冷えとりも宗教のようなものになっている気がしました。

病気や不妊を治すため、多くの人が一時冷えとりにハマるようですが、メンドクサクてやめてしまう人が多いのもまた事実。私も、湯たんぽは小寒い時に重宝だなと思

いますが、五本指ソックス重ね穿きは面倒なのと、足が苦しいので暖かくなると同時にやめてしまいました。ブーツもきつくなるし……。

「そんなに重ね穿きして、靴きつくなんないの？」

と彼女に聞くと、

「ワンサイズ大きいのを穿いています」

ですと。で、手湿疹は治ったかというと、まだ治ってはいないようなのです。

セラピストである友人の一人は、一時冷えとりにハマっていたのですが、温め過ぎるのも逆によくないと思ってやめてしまったとか。いつも温めていると脱いだ時に寒さを感じてしまうので、冷えやすくなってしまい、足も動かしづらくなってしまうと。

これはあくまで個人の体感なので、何とも言えないのですが、私も二枚穿きしていた時は足が苦しくて、脱いで裸足でベリーダンスを踊る時も、足の柔軟性が悪くなっていたような気がします。

「ゆるゆるの靴下を穿けば、そんなことありませんよ」

と、五枚穿いていた彼女は言っていましたが、そしたら脱げちゃわないかなぁ。

で、私の結論ですが、寒い季節はフツーに重ね穿きして、暖かくなったら一枚でいいのではないでしょうか。季節に合わせて微妙に枚数を変えてゆくとか。

五本指ソックス重ね穿きは、温めるだけでなくデトックス効果があり、悪いものがたまっている人は、最初の一枚（白のお約束）に出てきた老廃物がたまって黄色くなるとか。なので、この一枚は毎日洗濯し、外の何枚かは繰り返し使っても通気性がいいので大丈夫とか。臭くならないらしいですよ。でもなんか気持ち悪〜。

50代は「健康一番」だから、冷えは大敵。「冷えとり」で体調をよくしたいのはみなさん山々でしょうが、どこまでプライオリティを「健康」におけるか、というのは個人差のある世界。オシャレは足元からなので、夏のサンダルを諦めて五本指ソックスを穿き続けても、心が寂しくなってしまっては元も子もないですからね。

column

夏こそ冷えに気を付けて

体温調節の難しいお年頃。暑い時こそ、冷えに気を付けていただきたいものです。ついつい、冷たいものを飲んでしまいがちですが、婦人科系に持病をお持ちの方や、胃腸の弱い方は、冷たい飲み物の誘惑に負けないこと。

表はうだるような暑さでも、建物や乗り物の中に入ると冷房ビンビン。素足にサンダルで出かけても、すぐさまソックスを穿き、羽織ものを着ないと冷えてしまいます。

私も初夏にうっかり素足にサンダルで近所の眼科に行き、待っている間に冷えてしまったみたいで、子宮筋腫が物凄い勢いで痛くなってしまったことがあります。あわやまた救急搬送か？　という恐怖にかられたところで、家に帰って靴下を穿き、湯たんぽをおなかに当てたらおさまったのです。

夕飯に温かいものを飲んで、食べて、お風呂に入ったら完璧に治りました。あー、よかった。

家の中でも、真夏は除湿冷房をかけないと眠れないし、ましてや真夜中に体が火照る更年期。はだけても、おなかだけは冷やさないよう、夏用腹巻をして寝るべきです。今ではパンツ一体型も売られています。

緊急時用の湯たんぽは、いつも取り出しやすいところに置いて♡

7

ハメマラ対策術

昔から「加齢は歯と目と生殖器からくる」と俗に言われていて、オッサンは「ハメマラ、ハメマラ」と自嘲していました(涙)。

でも、私たちは女性なので、自嘲してガハハと笑ってもいられません。歯と、目と、婦人科はダメになると「女心」にこたえる部分でもあるからです。

歯に関しては、私は若い頃から半年に一度の定期検診を欠かしません。衛生士さんにクリーニングしてもらうと同時に、歯の磨き方もチェックしてもらい、微調整していくのです。

年をとるとエナメル質が減ることによる知覚過敏も出てきますから、歯槽膿漏《しそうのうろう》や虫歯を気にしての磨き過ぎもよくないのです。柔らかい歯ブラシでそっと磨く。でも、プラークはちゃんと取れるように角度や当て方に気を付けて。

デンタルフロスも欠かしません。歯磨き粉は長年、天然の抗菌作用とホワイトニング効果があるティートゥリー歯磨きを使っています。香りもいいし、口臭予防にも役立ちます。

おかげで、50歳にして全部自分の歯。歯槽膿漏とも無縁です。自慢するわけじゃなくて、やればみんなできるんですよ、と言いたいのです。目の届く範囲、ケアできる部分はケアすれば、年をとっても心地よさを保てるのです。

目は、あまり疲れを感じなかったので、ほったらかしにしていたら、飛蚊症になってしまいました。でもこれは老化によるものなので、目を酷使したからなる、というようなものではなく、早くになる人はなる、だから治療法もないと言われました。今は半年に一度の定期検診で、経過観察をしているだけです。

しかし何も手を打たずに放っておくのは心もとないので、クコ茶、ルテイン、マリーゴールド茶と、手は尽くしているのですが……。

婦人科系のチェックも、繰り返しお伝えしますが、ちょっと変だなと思ったら、早めの受診をオススメします。何ともなくても、50歳を過ぎたら大難を避けるために三カ月に一度の定期検診を。

更年期症状に対しては自然療法がよく効きますが、自然療法だけに頼っていては、

50歳以降はスキがあり過ぎと言えるでしょう。体感だけでなく、検査は大切です。ホルモンはいじると癌になる、というのが漢方系の定説ですが、ホルモン療法なくしてはどうしてもＱＯＬが下がるというのなら仕方がないと思います。

何を持ってＱＯＬとするかは個人差が激しい世界ではあるのですが、耐えがたい痛みや、貧血が進んで困るぐらいの出血がある人は、ホルモン剤使用や手術もいたしかたないのではないでしょうか。

いい、悪いとか、なんでこんなことになっちゃったんだろうか、などと考えあぐねるより、さっさと解決したほうがＱＯＬは上がります。

私だって、激しい痛みや出血など体験したことがない頃は、「三カ月に一度の定期検診なんて必要あんの？」と思っていましたが、今となっては必須と感じます。ちゃんと相談できる、診断や治療法も信頼できるドクターを探して、定期的に通うようにしましょう。歯と、目と、婦人科は定期検診ですよ！

8 治療院・病院はよく見極めること

今はネットに何でも載っているので、私も初回の激痛・入院のあと、ネットで調べて子宮筋腫、卵巣嚢腫治療の中国鍼に通いました。ツボに鍼を刺してから電気を流す電気鍼です。

中国人の優しそうな先生が診察して、

「大丈夫、手術する必要ないよ」

と言ってくれたので、よしっ、と思って通ったのですが、その直後の生理時に激痛、救急搬送です。生理の前一週間、

「最初は毎日来たほうが効果あるよ」

と言われ、しかも午前中しか予約がとれないのでまるで通勤するかのごとく、銀座に通っていたのでした。

全国から難病の方々が押し寄せている治療院は、午前中でもかなりの方がお待ちに

なっていて、9時台に行かなければ予約していても待たされるという状態。交通事故の後遺症も治るということで、北海道から通われている女性もいました。

とまぁ評判の先生なんですが、なにせ中国鍼は荒療治。婦人科系のツボにビシバシ鍼を刺していき、そこに電気コードを繋いで電気を流すのです。電気の流し始めは、動いても痛いので、背面、表面、じっと我慢の40分×2セット。

固い施術台の上で80分動かずというのも辛いけど、子宮の上からかなり深く鍼が刺してあるので、響くからくしゃみもできないのです。さらに、脳天に長くてぶっとい特殊鍼を刺されているので、まぁ自分でもタケコプターかと思いましたよ。

ホームページには、これで子宮筋腫や卵巣嚢腫が消えた、小さくなった、という体験談も掲載されているのですが、それも「人によるなぁ」と思いました。

年齢が若く、丈夫だったら、そして病巣のサイズも小さく状態もそんなに悪くなかったら、中国鍼で完治したかもしれません。が、50歳以降は肉体そのものが弱く、内臓もボロいので、西洋医学なしには危険かも。

中国鍼は今巷で流行ってますが、けっこうハードな治療なので、自分の体の様子をよく見て、治療を受けるかどうかは考える必要があるでしょう。

しかし人間、痛かったり、具合が悪くて困っていると、溺れる者は藁《わら》をもつかむ状態で、過激ですぐ効きそうなものに飛びつきがち。治療院や病院は、自分に合っているか合ってないか、儲け主義か儲け主義でないかを、しっかり見極める必要があるでしょう。

9 深い呼吸とセルフマッサージはアラフィフ最低限のたしなみ

プロの手にかかってセルフメンテナンスを定期的に受けられればそれに越したことはないのですが、諸事情が許さないということもあるでしょう。そんな場合は、セルフでこつこつケアするのがＧＯＯＤ。

でも、どうやったらいいかわからない、また、一人でする気力も出ない、という場合は、ガンダーリ松本さん著『和みのヨーガ』ＣＤ付きを購入してください。

このＣＤは簡単バージョンなので、時間がない時でもささっとできます。私も、今日は何にもボディケアできなかったという日は、ＣＤを聴きながら自室でサクッとやっています。

ｉＰｏｄに入れておけば、出先でも、それこそ病院でもできますからね。ま、点滴刺さってる腕では、最後のヨガのポーズはできませんが、ほとんどのマッサージ＝手当てなので、どんなに弱っていても、点滴が刺さってても、できるのです。ガンダーリさんのインストラクションがまた「和むわ〜♡」で、まさに癒しのヨーガです。
私もそうですが、現代人のほとんどがパソコン生活をしており、体が固まっていま
す。固まっていると呼吸も浅くなり、体内酸素量も減って、ますます疲労困憊してし
まうのです。特にひどい痛みなど経験したあとだと、痛みのために緊張したせいで心
身カチコチに……。
毎週通っているピラティスの先生に、退院後教えてもらったセルフケアは、横隔膜
リリース。みぞおちの部分から肋骨の下にぐっと指先を入れて、呼吸を繰り返してい
くと、指が入っていくので、それを繰り返すもの。痛いけど、動いてきたらだんだん
外側に位置をずらして、横隔膜をゆるめていきます。
横隔膜がゆるんだら肋骨も動くようになるので、呼吸がラクになります。もう一つ
は、脇の下のマッサージ。これは『和みのヨーガ』にも出てくるのですが、自分で脇
の下に手を入れて、ぐりぐりとマッサージするもの。ここをマッサージするとリンパ
の流れがよくなり、更年期で滞りがちな「巡り」をよくしてくれます。
脇の下が固まり過ぎてて、マッサージする自分の手が疲れてしまうわ、という場合
は、固めのボール（野球とかテニスの）を脇の下に入れて腕でぐっと挟んでもＯＫ。

足裏、土踏まずと足首、ふくらはぎ、膝までは、毎日入浴後にオイルかクリームやジェルを塗るついでにマッサージする癖をつけておくと、難なくセルフケアできます。50歳を過ぎるとセルフケアする気力も目減りしますから、背中はルルドのマッサージクッションに任せています。押してくれる人がいればマッチベター♡

首筋はカッサが便利。仕事後にうなじをゴシゴシすると、顔色も良くなりメイクのノリも違います。

カッサは一時流行った石板ですが、クリスタルでできているものもあり、雲みたいな形をしているので、置いてあってもきれいです。ネットでカッサも教本も売られているので、ご興味ある方はぜひ。お顔のリフトアップもできますよ。

足裏は、椅子に座ってスーパーボールを踏んでコロコロするという手もあります。私はＪＯＹＡのヒーリングローラーを持っているので、付け替え用のクリスタルボールを踏んでコロコロしています。これもネットで買えます。

10 ラクな服、歩きやすい靴でも女性らしさは楽しめる

更年期後半は、暑くなったり寒くなったりが激しい時期です。冷やしてもいけないし、温め過ぎてもいけないという微妙なお年頃。体温調整がラクにできる、つまり脱ぎ着が簡単な服装がマストと言えるでしょう。

プラス、更年期で肩コリもひどくなるので、重い服はＮＧです。いくらウールの厚いコートが好きでも、50代ではダウンコートに替えたほうがいいでしょう。そりゃ、健康で力強く、加齢も更年期ものともしない体力・気力をお持ちの方ならいいですよ。でも、普通レベルの方なら、自分に優しいお召し物に変える時期なのです。

ウエストもゴムのものにすると限りなく太ってしまいそうで怖い、という方は、無理して伸びないウエストものにしているかもしれません。うちの母がそうでした。余分な肉はボディスーツの中に圧縮して、ウエストをきゅきゅっと演出していたのです。

でも、ブラジャーもボディスーツも、きついものは体力も消耗するし、リンパの流

れも悪くしてしまいます。なので、私はもう40代からユニクロのカップ付きタンクトップ一辺倒。パンティも、外国産のゆるいコットンパンツを旅行の際大人買いしています。

寝る時はもちろん、カップなしのタンクトップ。これもユニクロで色も可愛くて安いのを売っているので、ヨレヨレになったらまとめて買って総とっかえ。50歳になったからって、肌色のババシャツを着る必要は全然ありません。

体を締め付けない服装は、ニットやカットソーのワンピースが一番と、私は思います。軽いし家で洗えてアイロンがけもいらず、ストンと着られる。カシュクール型ならウエストは絞れて見えるし、下にスパッツを穿いていても、ワンピースですから女らしくオシャレに見えます。

これに暑くなるまではブーツなのですが、耐えきれなくなったら歩きやすい靴に変えます。ぺったんこ靴ならなんでも歩きやすいというものでもなく、ウォーキングシューズでないと指先がきつくなったり、爪を痛めたりしてしまいます。

ビルケンも50代では健康オタクっぽくて女らしくないし……と思っていたところで、BAR（ベアー）に出合いました。可愛くて、歩きやすい、足超ラクラクなドイツのウォーキングシューズです。

　オバン臭いウォーキングシューズは気分もなえますが、オシャレなら、歩きやすいほうがいいに決まっています。若い頃には想像もつかない足の疲れ……履きづらい靴を履いていたら、マジで痛くなって歩けなくなってしまいますからね。そしていくら歩きやすくても、紐靴は着脱が大変なのでこのお年頃には不向きかと。

　更年期も後半になると、暑かったら暑かったで、暑さに耐えきれなくなります。夏場足元を温め過ぎてものぼせてしまうという場合は、生足にサンダルしかありません。その場合は出先の冷房対策に靴下だけは持って行ったほうが無難。

　更年期症状も個人差のある世界なので、各自心地よい服装とお履き物を追求してください。最近は、安くて歩きやすくお洒落なサンダルも沢山出ているので、色々試してみるといいですよ。

第3章

美と女らしさを
内から外から

1 美肌ケアは内側から

更年期後半になると、便秘気味で悩む方が増えてきます。前出の友人はいつもフン詰まりで悩み、腸モミに通ったり、自分で揉んだり、それでもたまに三日ほどおなかが痛くて苦しんだりしていました。でも、「ヤクルト400」でラクになったというのです。

ヨーグルトの「ダノンBIO」のCMでも、「妻が変わった……なぜなんだ?」というのがありますよね。夫が驚くほど妻がイキイキとしてしまう乳酸菌。私も、二度の入院で抗生物質を長期投与、乳酸菌が死滅しましたから（涙）、ヤクルトレディを捕まえて契約、ヤクルト400LTを毎日飲んでいます。甘さひかえめだからさっぱりして飲みやすいし。

のみならず、ヨーグルトにフルーツ、「いちごの約束」（いちごの酵素飲料）、プルーン（便秘予防と鉄分補給）は毎朝摂取。おかげで退院後数週間で、お通じも体調もすこぶる良好になりました。お肌も、人からは病み上がりとは思えないほどつやつやモチモチと言われます。ま、退院直後は老婆みたいでしたけどね。

数週間でそれほど回復できる自分自身を誇らしく思うぐらいです。ふだんから乳酸発酵モノのキムチ、糠漬け、味噌、塩麹は意識して食べています。納豆が40代以降、おなかいっぱいになっちゃってあまり食べられなくなってしまったのですが、納豆だけで食事が終わってしまうのも悲しいので……。食べられる方はぜひ食べてください。

腸内環境づくりをしてくれて、免疫力も高まるし、お通じもよくなりお肌もキレイになる。そして美味しい、といういいこと尽くし。食品がサプリと違うところは、美味しいと感じることで嬉しい、イコール気分が良くなり細胞も喜ぶところですよね。

朝ごはんなど食べるのがメンドくさかったら、全部ジューサーにかけて飲んでしまえばいいんですよ。今朝も我が家は、バナナ、いちご、ヨーグルト、きなこ、豆乳、オリゴのおかげ、いちごの約束、プルーンを入れてガー。大きいグラスでいただきました。お一人様なら、朝ごはんはこれでＯＫですよね。

病気や怪我、入院などして薬剤を大量に投与されてしまった場合、私は一時的にウドズ・オイルブレンドを購入して摂取します。これはオメガ３＆６が吸収しやすいバランスでブレンドされているデトックスオイル。細胞内にたまった化学物質をクレンジングして体外に出すので、薬剤の副作用を軽減してくれるとの話です。

開発したウド博士は、自身の農薬中毒（趣味のガーデニングで罹患《りかん》し、医師にも見放された重症）をこれで克服したのです。対談でお会いしたのですが、彼自身お肌ツルツルで、高齢には見えない健康美でした。ローフーディストだし、高温加熱された食品は一切口にしないと、食生活も徹底していますけどね（笑）。

私たち素人は、天ぷらだってたまには食べたいし、カリカリにトーストしたパンだって食べたい。けど、野菜や果物多めの食生活で、いいオイルをとって、デトックスを心掛けるぐらいのことはできます。

オーガニックにこだわることはないけど、できるだけ新鮮でいいものを食べて、悪いものを排泄すれば、お肌はみるみる蘇りますよ。50代はまだ再生能力が高いのです。

2 貧血対策でフラフラをイキイキに！

生理がなくなれば貧血の心配もなくなるのでしょうが、50歳を過ぎても生理がある以上、貧血気味になります。特に、閉経間近で大量に出血したり、過長月経で貧血になる人は多いようです。

私の知人で、あまりの貧血から氷食症《ひょうしょくしょう》とやらになってしまった女性は（喉が渇いて氷を食べたがる）、鉄剤を処方され、飲んでいました。私も今回の入院時、出血がひどくヘモグロビン値7にまで落ち込み、鉄剤を処方されました。

いつもはドイツ、サルス社のノン・ヘム鉄自然派サプリ「フローラディクス」でヘモグロビン値11をキープしているのですが、7まで落ちてフラフラだと、もう鉄剤に頼るしかありません。副作用の胃のムカつきや便秘が気になったのですが、胃薬と一緒に処方されたので大丈夫でした。鉄剤の中でもフェロミアという薬は、比較的ムカつかない薬だそうです。

ひどい貧血というのを初めて体験した私は、食生活にも気を付け始めました。嫌いなレバーも一週間に一度は頑張って食べ、ひじき、きくらげ、カキ、あさり、鰹、ホウレンソウなど、日常的に食べるように。常備菜を作っておくと、ラクにちょこちょこいただけます。

退院後一週間検診でヘモグロビン値8まで上げましたが、まだまだなのでその後も継続して貧血対策食を続けています。出血は少量続いているものの、どんどん元気になっていくのを感じます。やはり、血の管理は大切ですね。

顔色も良くなりました。退院後はさすがに、他人の目から見ても顔が青白かったようで、心配されましたが。健康的な肌色は、やはり血色のよさが不可欠なのです。

病的な貧血とまではいかなくても、疲れやすい、疲れがとれない、やる気が出ない、顔色が悪いという方は、貧血対策したほうが、ＱＯＬも美容レベルもＵＰしますよ。

長年貧血、あるいは婦人科系の病気などで一時的にひどい貧血になってしまった場合は、ビタミンＢも補給するといいかもしれません。貧血はビタミンＢが不足するので、口角炎や口内炎になったりもしてしまうんですよ。私も退院後、久しぶりに口内炎になりました。そんなものあるなんて長年忘れていたぐらいなんですけどね～。

生理前の肌荒れや吹き出物にもビタミンBがよく効きますが、更年期の血の管理にも大切なビタミンだと思います。ビタミンBは納豆や豚肉に多く含まれていますが、毎日必ず、という意味ではサプリでビタミンBを摂っておくと安心です。

オーストラリア産のベジマイトというビール酵母ペーストでも天然のビタミンBが摂れます。バタートーストにちょこっとつけていただくと、美味しいです。八丁味噌みたいな味です。オーストラリア人はいっぱいつけて食べますが、付けすぎるとしょっぱいです（笑）。

あとは、赤身の肉と青菜野菜や果物をしょっちゅう食べることです。青菜野菜やビタミンCは鉄の吸収をよくする働きがあるそうなのです。搾りたての柑橘系ジュースを飲んだり、肉・魚料理にレモンを搾っていただくと、フラフラがイキイキに♡

3 「骨粗しょう症」予防のカルシウム

閉経後は、骨粗しょう症予防のカルシウム摂取が必須です。というのも、女性ホルモンはカルシウム吸収や生成にもひと役買っているから。私も生理を止める注射をし始めたので、毎日カルシウムのサプリを摂っています（まずいラムネ状）。

生理を止める注射はリュープリンといって、偽閉経状態を作る薬です。が、一カ月に一度、六回までしか打っちゃいけないことになっていて（一回の治療クール）、それは骨粗しょう症の危険があるからだそうです。この注射はタイムリリースで一カ月効くんだそう（怖っ）。

このリュープリン、セカンドオピニオンを取りに行ってそのまま転院した先の病院の先生に聞いたら、一回目のあとに出血が続くこともよくあるそうなのです。二回目、三回目で生理が止まって、そこから更年期症状が出てくる人もいると（出ない人もいるらしい）。私は四回まで打って、五回目の生理日に手術をすることになりました。

というのも、私はまだまだ閉経を迎える様子もなく、女性ホルモンが出まくっているので（笑）、再び卵巣嚢腫破裂の危険性があるからなのです。子宮筋腫もまだ大きくなる可能性もあるし……は～、もう、お盛んで困るわ。

卵巣は50歳を過ぎたら四人に一人は癌になる可能性があるというので、体力があるうちに切除しといたほうがいいとも。ま、これを機会に、現代医学のマジック、名医の腹腔鏡手術を体験してきますわ。

二回目の入院中、生理日八日目からレバー状の塊がドコドコ出てきたのも、中国鍼のせいではなく、リュープリンの副作用だったようです。症例をいっぱい持っている病院で経験のある先生なら、患者の質問にもよどみなく答えることができるけど、経験のない若い先生だと分からないことが多く、患者と一緒に困ってしまうのかもしれません。

カルシウム摂取は、私のようにサプリを摂るのもいいし、ダノンデンシア（ヨーグルト）みたいなものを食べてもいいと思います。小魚とか乳製品とか意識してちょこちょこ食べてもいいけど、意外と含まれているのが小松菜とかひじき、切り干し大根のような乾物。地味なようでパワフルな野菜と海藻を、日々地味に食べ続けるのが得策と言えるでしょう。

カルシウム分の多いミネラルウォーターを飲んだり、畳いわしをおつまみにしたりと、カルシウム摂取の方法はたくさんあります。閉経後はコレステロール値が高くなり、肥満や成人病の心配も出てきますから、地味飯を心掛けるといいでしょう。まだ女性ホルモンに守られている方は、今のうちにスウィーツもご馳走も楽しんでおいてください。

そしてやはり、運動です。それも、負荷のかかる運動をしたほうがよく、ジムのウェイトトレーニングなどもGOOD。私は長年ピラティスのマシーンで負荷をかけてトレーニングしています。家でできるダンベル体操なんかもいいかもしれませんね。テレビで骨粗しょう症予防の運動として、踵をトントンするというのが挙げられていましたが、カタック（インド舞踊）やタップダンスなど、ダンスによっては踵トントンが入っているので、楽しんで骨粗しょう症予防ができます。ご興味がある方はこの機会に始めてみてはいかがでしょう?

おうちでできる方法としては、縄跳びでしょうか（笑）。走れる人は走るのが一番ですよね。骨にトントン刺激がいきますからね。

4 脱毛予防はスカルプケアが鍵

女性ホルモンが激減すると、脱毛の心配も出てきます。もともと毛量が多すぎて困っていた私ですら、ちょうどいい量になったぐらいですから、薄毛の方のお悩みは相当でしょう。もう部分かつらデビューか？ という危機にさらされているかもしれません。

一番いいのは、定期的にプロのスカルプケアを受けることですが、諸事情が許さない場合は、おうちでできるスカルプケアを実践することです。私がモニターをつとめた頭皮クレンジング「清巡《せいじゅん》」は、マッサージの仕方も書いてあってオススメです。

要はプレシャンプーなんですが、頭皮の毛穴に詰まった古い油をクレンジングし、頭皮マッサージで血行を促進することにより、育毛促進と脱毛予防をするというもの。この頭皮の古い油によって、まだ育ち切れてない毛が抜けてしまうらしいんですよ。オレンジ、グレープフルーツ、ペパーミント、亜麻仁、ゴマ、ユーカリオイルが入っていて、ホントに自然素材か？　っていうぐらい香りもよくスッキリするので、更年期のもやもやも晴れます。シャンプーの泡立ちも良く、楽しめます。

余裕があれば、プロのスカルプケアやスカルプマッサージもたまに受けると癒されますよ。自分ではそこまでできない頭のツボ押しや、力強い肩マッサージは、頑固な更年期の石頭と肩コリをほぐしてくれます。

普通のサロンでも炭酸ミストを使ったスカルプケアをするところも増えていますが、私は白髪染めをヘナでやってもらっているので、バリ風ヘアエステ「クリームバス」に通っています。もともとバリ島でクリームバスといえば、大量のヘアトリートメントをつけてスカルプマッサージをするもの。トリートメントと頭皮ケアで、頭皮の状態をよくしていくのです。

日本のエステは恋愛黄金期の若い女子たちがローンを組んでまで行きたがるものですが、そういうものが本当に必要になってくるのは、実は更年期以降なのではないでしょうか。欧米ではもともとマダムのものだし、ヨーロッパでスパといったら、おばあさんたちがこぞって行く場所。若い人たちのものではないんですね。

顔のマッサージも、スカルプケアも、本当に疲れがとれます。肩コリは実は、首コリ頭コリからきているのですよ。お金の使い方のプライオリティをどこに置くかは人それぞれですが、私は「疲れとり」と、「疲れないため」に置きます。なので、白髪染めもヘナでやってもらい、ついでにスカルプケアと肩マッサージをしてもらっています。

それでも、ない袖は振れないという場合は、家でできることを。『和みのヨーガ』でも頭や顔のマッサージが入っていますから、ぜひＣＤ付きのテキストを購入して、実践してみてください。頭をトントンするだけでも、疲れとりと育毛効果があるはずです。

若かりし頃、若禿の男と付き合ったことがあったのですが、同棲した途端に毎晩、育毛剤をつけて頭をブラシでトントンし始めて、百年の恋も覚めましたけどね。自分がまさかそういう状態になるとは思いもよりませんでした。

女性ホルモンが激減するということは、男性ホルモン優位になるということ。スカルプケアもこれからは大切です。

5

長風呂は癒しと冷えとりの時間に

若い頃は、やれスパに行ったりエステに行ったり、予約して赴く労も厭《いと》わなかったのですが、50歳を過ぎたらかったるくなってきます。そんなことに大枚はたくのもバカバカしくなってくるし（笑）。それでも小綺麗さを保ちたかったら、毎日のお風呂タイムで最低限のメンテナンスをするのです。

冷えとり健康法でも、毎日20分の腰湯（心臓から下の下半身浴）がお約束。厳格に腰湯をしなくても、なんとなく浅めに浸かって、すべての身繕いをすませてしまえば、ラクです。私は歯磨きセットも、クレンジングもパックもバスルームに置いておいて、入浴中にすませます。

浴室テレビを設置すれば、20分なんてあっという間ですよ。クレンジングも保湿パックも洗い流せるタイプのものにしておけば、なおラクです。歯を磨き、クレンジングして髪を洗い、保湿パックをして体を洗い、温まって出る。というのが最短コース。

レディースシェイバーもスクラブもバスルームに置いておけば、たまのムダ毛や角質のお手入れもささっとすませることができます。年とって便利なのは、体毛が薄くなったこと。これもホルモンのせいなのでしょうが、ムダ毛処理はあまりせずにすみます。思えば角質も、かつてほどケアしなくてもいいような……。

これはもしかしたら、エプソムソルトのせいかもしれません。ずっとバスソルトは海塩にお気に入りのエッセンシャルオイルを入れた手作りバスソルトにしているのですが、加齢するに従って死海の塩からエプソムソルトへと格上げしました。より入浴効果の高いものへと進化させたのです。

ハリウッドセレブの間で使われているとの噂から徐々に浸透し、ミランダ・カーも使っているということで日本でも一気にメジャー化したエプソムソルト。ほんの十年前なら一部の健康オタク御用達として、直輸入物しかなかったのに、今では日本産のものがネットで安く売られているのです。アマゾンでも売られているから手に入りやすいし、発汗作用はもとより、お肌を柔らかくする効果もあるそう。

ソルトといっても硫酸マグネシウムなので、まぁバスビズとかバブみたいな血行促進、疲労回復効果があるのでしょう。欧米では昔から、馬が骨折するとエプソムソルトバスに入れるという歴史ある入浴剤で、治癒を促進する効果が高いのかもしれません。私はデトックスの本で知りました。

肘や踵の角質ケアは、巻頭でもご紹介したバーツビーズのシュガースクラブ、クランベリー&ポメグラネイト（ザクロエキス入り）で♡　女性ホルモンに似た成分が含まれているというザクロが入っているからか、エイジングケアとして売られています。クランベリーの種子とシュガークリスタルがスクラブ剤なので、自然派だしオリーブオイル効果でしっとり。食品のようなクオリティですが、使用後バスルームの床が滑るので気を付けて。

フェイススクラブは、私はその時々で手に入るものを使っています。オーストラリア旅行に行った際には、オーガニックで使用感もいいコスメブランド、Ｓａｙａのピンククレイフェイススクラブをゲットします。

6 心も癒すボディケア製品

お風呂上がりのケアも、習慣化してしまえばラクに快適さを保てます。気力ある時は、ベースオイルに好みのエッセンシャルオイルを混ぜて、ボディマッサージオイルを手作りするのも乙なものです。材料はすべてネットで購入できますので、重い瓶を持ち歩く心配もありません。

ベースオイルはアーモンドオイルが比較的さらっとして使いやすく、乾燥がひどい方はホホバオイルもオススメ。そして更年期にオススメのエッセンシャルオイルは、ローズ、マンダリン、オレンジ、ネロリなど、馴染みやすく幸福感を高める香り。ローズやネロリはアンチエイジングの美肌ケアとしても高級コスメに入っていますから、手作りをするとふんだんに使えてお得感もたっぷり。

上級編としては、イランイラン、ジャスミン、ゼラニウム、クラリセージなど、更年期症状や重い生理を改善させる働きがあるものもオススメです。ちょっと癖がある香りなので、馴染みのある好きな香りとブレンドするといいでしょう。肌が乾燥や湿疹で痒かったりする場合は、カモミールをブレンドすれば落ち着きます。

お風呂上りに足から膝までと、手から肘までに塗って軽くマッサージするだけでもだいぶ違うと思いますが、太ももからおなかまで塗れたらもう上級者です。ベリーダンサーなど肌を見せるプロの人は全身塗ってマッサージしていますが、素人でそこまで根性のある人もなかなかいないでしょうしね。

そしてもう、オイルを自分でブレンドする気力もない時は、市販のボディオイルやジェル、ボディバターなどを購入して塗る。何種類か用意しておいて、その日の気分や天候に合わせて使うと快適さもＵＰです。

市販のもので私がオススメするなら、冬場こっくりしたボディバターが使いたい時は、オーストラリアの「ＭＯＲ」のボディバター。香りはスノーガーデニアとカシスノアールが甘・辛的に使い分けられます。パッケージも大人っぽいスウィートさに溢れているので、プレゼントにも◎

蒸し暑いシーズンから夏場重宝するのが、水になるジェルクリーム「ウォータリングジェルクリーム」。いろんな香りがあって超塗りやすく、保湿成分たっぷりなので、かったるい時のケアに最高です。ローズとフランジパニ（プルメリア）の香りがお気に入り♡。

そして常に持ち歩き、家やオフィスにおいて指先の荒れを癒し、香りで幸福感を高めてくれるのが、可愛いハンドクリーム。香りがよく、パッケージが可愛くないと、アラフィフ女子には効果が低いので、実用的すぎるものは避けましょう。

私のお気に入りは、ｌｏｖｅ＆ｔｏａｓｔのハンドクリームシリーズ。パッケージが可愛く、香りもポップなブレンドなので、気持ちが明るくなります。シュガーグレープフルーツなんて、まるでラムネのような香りです。

アラフィフ女子の快適さを保つボディケア用品は、実際のエイジングケア効果と、女の子返りする心を満たす要素が必要なので、厳選して臨むことが肝心です。少々お高くても、心理的効果も考えるとお安いぐらいなのです。

7 年齢にあわせてコスメもリニューアル

基礎化粧品に関しては、今ネットで何でも簡単に買えるので、お好きなものを購入していただけばいいと思います。ただ流行っているからと言って、必ずしも海外ブランドコスメが最強だったり、お高いエイジングケア製品が特別だとは思いません。人それぞれ合う合わないもあるし、プチプラコスメでもじゅうぶんという人もいます。シートパックなんかも今、安くていいものが大量に売られていますから、一枚何千円というものは買わなくなりましたね、私は。

コスメは簡単に気分転換ができるので、色々使ってみています。オーガニックにこだわり過ぎることもなく、プチプラコスメも楽しんで（笑）。アメリカンファーマシーのAPシリーズなんか、プチプラの中でも秀逸ですよ。コスメランキング上位の製品も気になるでしょうが、コスメに夢中な年代の方々が書き込んでおられると思うので、アラフィフの私たちには、等身大の化粧品が快適だと思うのです。

アラフィフ女子は肌質もコンディションも、お顔自体も年々過激に変化する時期ですから、同じコスメを何年間も使っているというのも無理があると思います。私はその時々で、心地よいものを購入。使い切ったらまた新しいものを探検しています。これはいい気分転換にもなり、長い人生における鬱憤《うっぷん》を晴らすいい機会です。

メイクアップ用品も、雑誌「美ＳＴ」で「化粧ポーチ総とっかえ特集」が組まれていた頃、君島十和子様の御本でエレガンスの化粧品に出合い、私も総とっかえしました。数年前はベアミネラルにハマっていたのですが、アラフィフの声を聴いた途端、お顔が粉っぽく……。十和子様の御本に、「パウダーチークすらも粉っぽくなるお年頃」とご指摘が書いてあり、私もクリームチークデビューを果たしたというわけです。

ツヤ感を演出して顔色をよく見せる化粧法を、日本一売り上げるという渋谷東急東横店エレガンス・カウンターにて教わり、必要製品を大人買い。きらきらした、ゴールドジュエリー感覚のパッケージが可愛く（張りぼてで軽量なのも◎）、またそれを可愛いと思うお年頃になった自分をも愛おしく思う今日この頃。

私にとってコスメはつまり、小さい頃の母の鏡台にあったエレガンスな世界だったので、やっとそこに自分が到達したのだなという感慨もひとしおです。とはいっても、エレガンスは実はアルビオンがやっている日本ブランドなので、お値段もそこそこ。高級化粧品ではありません。買いやすいお値段で、大人の女子心を満たすのです。

みなさんもお守り的な、お気に入りコスメを見つけてください。半世紀生きてきて、いろんなコスメを使ってきましたよね。今こそ、使ったことのないコスメを体験する時期ではないでしょうか。実際、エレガンスで教わったメイクをし始めたら、娘に、

「カーチャン、顔が明るくなったね」

と褒められました。十和子様の御指南に従って、影色のメイクをやめ、明るい色のパレットにトライしたことが功を奏したのです。ピンクのアイシャドウやクリームチーク、最初は抵抗ありましたが、もう慣れました（笑）。

8

内臓を休ませるプチ断食はおかゆに限る

年とともに消化吸収力が弱くなり、食べ過ぎ、飲み過ぎが負担になってきます。快適さを保ち、美味しく食べ、飲み続けるには、時にプチ断食するのをオススメします。

これは私、腸閉塞の診断で二回入院してそのよさを実感。一日２・５リットルの水分補給だけで数日断食し、重湯、三分、五分、七分がゆ、常食と戻して行く一週間で、腸が物凄く元気になったのです。たとえそれが誤診だったとしても、その体験は貴重なものでした。

これまでもデトックスの本などには、週末断食の勧めとか、一週間ジュース断食プログラムとか、載っていたのは知っていましたが、空腹に耐えられない気がして、どうしても実行できませんでした。でも、プチ断食を体験した人はみな、そのあと物凄く調子がよくなるといいます。

どう調子がよくなるかは、まぁ体験してみなきゃわからないのですが、体が軽くなる、おなかの調子がよくなる、お肌がきれいになると、さまざまあるようです。私は空腹に耐えられない食いしん坊であることと、家族と食事を共にする必要性から、断食は無理なのですが、一人ランチを利用してたまに「おかゆダイエット」をしています。

これ、食べ過ぎ飲み過ぎでおなかが疲れてるなぁと感じた時や、体調が悪く消化不良の時にするといいですよ。搾りたてジュースダイエットもできる人はいいのですが、ジュースだけだと〝食事を抜いた感〟が強く、寒い季節は体も冷えてしまいます。温かく、日本人には「ご飯を食べた感じ」がするおかゆがよろしいかと。

おかゆって、どんぶりいっぱい食べても、ごはんの量はちょびっと。そして美味しいので、日本人の置き換えダイエットにはぴったりだと思うのです。主食抜きダイエットが流行っていますが、主食を抜くと、渇望感からリバウンドしがち。おかゆなら、渇望感はなく、内臓を休められます。

50代、更年期症状が厳しく、自分をケアする気力も体力もないわ、という人は、レトルトのおかゆでじゅうぶんなのです。温めるだけで食べられるし、洗い物も少なくてすみます。インスタント食品でありながら添加物もなく、米と水と塩だけです。五穀米や小豆入り、中華風など種類も様々あるので飽きもきません。

スープも、作る気力がない場合は、スープストックトーキョーなどの冷凍食品で代用。オマールエビのビスクなんてかなり美味しいし、ＭＣＣのビーフコンソメもレストランの味です。

ジュースも、簡単に家でスムージーを作って飲む気力があればいいけど、ジューサーを洗うのも面倒だわ、という場合は、出先で搾りたてのジュースバーに行くのがいいですよ。

ちょっとお高いなぁとは思っても、自分で野菜や果物を買いそろえ、洗って、搾って、一瞬で飲んで（笑）片付けることを考えたら、妥当な値段だと思います。

お勤めをしている方なら、オフィス周辺にあるでしょうし、主婦や居職の方なら、代官山辺りにお出かけがてら、駅構内にできたジュースバーで一杯キメてはいかがでしょうか。リニューアルしたコスメキッチンに併設されたジューサリーでは、エリカ・アンギャルのスーパーフード・スムージーも提供していますよ。

体重が減るだけでなく、体がイキイキ蘇るプチ断食に、なーんちゃってデビューしてみては？

9

輝きは外から補う（笑）

内側からの輝きが期待できないアラフィフの皆様のお肌におかれましては、輝きは外から補うのが鉄則です。メイクも、くすみを消してワントーン明るく、さらにハイライトでキラキラ感を足してナンボ。

衣類も明るい色のものを選ぶことはもとより、ビジュー付きの襟元でキラキラ感UP。この際、自然派なんて言っちゃいられません。心のケアに関しては第4章で詳しく触れますが、鏡で自分を見て「OK♡」と納得できる瞬間に、健康度がUPしますからね。

心と体は実にひとつ。50歳になって、自分の体の変化とともに、心境の変化にも気づかされました。常々、「オバハンはなんであんなでっかいジュエリーをゴッツとつけるのか」という疑問を持ってきましたが、自分がつけたくなって初めて、ああそういうことだったんだなと。

肉体がもう、消え入りそうなプチジュエリーでは似合わない年齢なのですよ。年をとったことに自覚のない夫が、50歳のクリスマスプレゼントにティファニーの、米粒ほどの一粒ダイヤのついた細いブレスレットをくれたのですが、手首のシワに埋もれて、そして私の老眼では、その存在すらも分からないほど。

それよりもゴツッと、ピカッと、品がないほどのごついジュエリーのほうが似合うし、自分で見ても元気になれます。プチジュエリーは、肉体がみずみずしい頃の〝初めてジュエリー〟としては可愛げがあるけど、大人女子用ではありませんね。

「そうは言っても、買ってくれる人もいないしね」

と、つぶやいたそこのアナタ！　若い頃バブルの勢いで男に買わせたジュエリーや、母親や祖母が残したジュエリーは、家にゴロゴロあるでしょう。そういう古臭いものを、今風にリフォームすればいいんですよ。

私もこれまでジュエリーのリフォームという発想はまるでなかったんですが、今の自分に似合うジュエリーが欲しくなった頃、宝石箱をひっくり返して、たどり着いたんです（巻頭でご紹介したもの）。

「あ〜、これと、これと、これを一つにすれば……」

若い頃、彼氏に買ってもらった指輪と、母親の婚約指輪（プラチナ台のクラシックな立て爪）と、私が30代で「自分にご褒美♡」として買った指輪三つのダイアモンドを横並びでカジュアルリングにしたら、普段使いにできるのではないかと。

自由が丘にオバサンのメッカ「ひかり街」という古いショッピングモールがあるのですが、そこのニックさんというジュエリーリフォームのお店に相談すると、三万五千円ぐらいでやってくれました。本当は七万円ぐらいするのですが、三つの指輪のプラチナ台を買い取ってくれるので、その分はお値引。

新しいお洋服を買うような感覚で、手持ちのジュエリーをリフォームすれば、また輝きを取り戻すことができるのです。自分も、お蔵入りしていたジュエリーも！

パールのリングも四つまとめてネックレスに。夫に昔フォーシーズンズのｓｈｏｐで買ってもらったペリドットのクラシックな指輪は、ペンダントトップにしました。大き目ジュエリーで輝きを外からプラス♡　オススメです。

※ニックさんのホームページ
http://www.nicc.co.jp

10 香りこそ大人女子が身につけたいもの

　これは次章に取り上げる「心のケア」のカテゴリーかもしれませんが、実際に自分のニオイが気になる場合もあるので、ここで取り上げます。加齢臭、というんですか。ホットフラッシュなどで冬場でも汗っぽい時もありますし、夏場など特に……。

　そしてホルモンバランスの悪さからくるのか、他人も自分も空間も、ニオイがやたらと気になるお年頃でもあります。夫の加齢臭が気になって……という方も多いのではないでしょうか。我が夫は自分でニオイを気にして、40代からやたらと香水をつけるようになりました。

　まぁ香水は〝消えもの〟でもあるので、プレゼントにもいいですよね。私はここ数年、夫に誕生日もクリスマスも、香水をプレゼントしています。それも、自分が嗅いでいいニオイを（笑）。だって当然ですよね。一番嗅いでしまうのは家族だし、残り香が家中にしますから、好きなニオイでないと。

更年期女子に幸福感をもたらしてくれるのはやはりローズなので、ローズをベースにスパイシーな香りやベルガモットなどをブレンドした香りならば、男性にも似合います。そして香水は、体臭がきつければきついほど、その人オリジナルの香りになるので、日本人ならば中年向けと言えるのです。

若い頃はわりと、体臭の薄い人が多い淡白な人種ですからね、香水の香りが際立っちゃって〝香水臭く〟なっちゃうんですよ。それが、アラフィフともなると、自分のニオイとまじって温かいいい香りになるという利点があるので、年をとるのもまんざら悪くないなぁと思います。大人の証明ですよねー。

うちの母はいつもディオールのディオリッシモをつけていたのですが、ブランド香水はちょっと重すぎるなぁという方は、もっとカジュアルなものからトライするといいかもしれません。いや、私も実際無理ですね、ディオリッシモは(笑)。

今はユニセックスな香水もたくさん出ているし、ラルチザンパフュームのように、高級ルームフレグランスはピローミストにも自分にも使えます。「バラ泥棒」とか、「インドの薔薇」など、ネーミングも素敵です。

「JO MALONE」のように天然香料だけでできていて、パッケージも素敵な香水もありますし、ひとつ自分にプレゼントしてみてはいかがですか？　自分がクサイかもしれない、というネガティブな気持ちが、一気に前向きになるし、自分自身いい香りで癒されますよ。

そしてお部屋も、雨の日や、梅雨で鬱陶しい季節はなんとなくニオイが気になるものです。昼間でも薄暗い時はインセンスキャンドルやお香を焚きこめて、その鬱陶しさを逆に楽しんでしまうのです。

お掃除の最後にはルームスプレーもオススメ。体臭が気にならない日本ではポピュラーではないですが、欧米ではニオイはあってあたりまえなので、デオドラントは常識なのです。

ドラッグストアで売られているメジャーなニオイ消しスプレーではなく、自分が癒される香りのルームスプレーを選んで使うと、生活の美を味わえます。

11 スカートやフリル、花柄で今こそ「女らしく」

年をとると、なんで自分がこんなに花柄に興味を持つのだろうか？　と、驚きを隠せない方も多いことでしょう。かつては、モノトーンのシンプルな服装が好きで、鮮やかな色の花柄や、フリルのついたひらひらのお洋服なんて、見向きもしなかったのに……。

ところが、興味を持つ上に「似合う」年になってしまったのです。これはもう、「自分もオバチャンになったもんだ」と落ち込むより、その女らしさを楽しんでしまったほうが◎です。

私も40代で驚きっぱなしだったのですが、三年おきぐらいに、似合う服が変わってくるんですよ。もうね、三年前の服は着られない。しかも、しっくりくる服装が意外なものだったりするので、ここは先入観のある自分が選ぶより、ブティックの店員さんに選んでもらったほうがいいぐらいなのです。

自分のテイストや、「私にはこれが似合うんだ」という思い込みは、もう通用しない年に突入したということ。私も、あるブティックで「お客様にはこちらのほうがお似合いかと」と、若い店員さんに言われ、「うっそー」と思って着てみたワンピースが妙にしっくりきて目から鱗。本当に、そのほうが綺麗に見えたのです。

顔映りのいい鮮やかな色、女らしいフォルム……アラフィフ女子が普通に綺麗に見える服装は、奇をてらった格好ではありません。若い頃きゃりーぱみゅぱみゅ系だった女性ならば、抜本的改革をせねばなりませんが、綺麗に見えるに越したことはありませんからね。

ワンピース（かスカート）、ロングヘア、華奢《きゃしゃ》な靴、そしてきらきらのアクセサリーという典型的な女らしい恰好をした上の、フルメイクです。パンツスタイルが似合う方はパンツでもいいのですが、トップスは女らしさを感じさせるものがいいですよね。

胸元は大きく開いたもののほうが首元もスッキリ見えるし、ネックレスも映えます。私がおしゃれ上手だなと思う50代の先輩諸氏は、必ずフワフワ、きらきら、スルスル感を演出していますよ。

女性ホルモンが枯渇していく時期だからこそ、臆面もなく女らしさを楽しめるようになったのです。それはもう「女装」のごとく。閉経したって、形は女ですからね〜。腐っても鯛。女の心を持った男性よりは、似合います。女装。

女らしくしていると、自分も気分がいいし、周りも優しく、丁寧に扱ってくれるようになります。ただでさえ気分も落ち込み気味だし、体力も気力も目減りする時期なので、ビジュアルの威力を利用しない手はありません。

そしてロングドレスは、究極の女装ですが、着る機会がないのが庶民の悲しいところ。着物は和のお稽古ごとなどやっているとまだ機会がありますがね。でも、ひらひらのロングスカートやドレスを着て、女性的な体のラインを楽しみ、女らしい所作や裾捌きを楽しむと、自分の中の女性性がめっちゃ癒されるのですよ。

そんな機会は、ベリーダンスぐらいしかないです。いつやる？　今でしょ！

第４章

大人女子の
気分ＵＰ作戦

1

誰でもウツに捕まるお年頃

更年期は、どんなにポジティブな人でも、ウツになりやすいお年頃です。周囲でも「まさかあの人が……」という人がサクッとウツになったりしていますからね。

ホルモンバランスの乱れや、体調の変化、美貌の衰えで自分に自信が持てなくなったり、心が弱っていると被害妄想にかられたりしてしまいます。イライラなどの更年期症状がひどく、胃が痛くなるなど実際に具合が悪かったりしたら、それに振り回されて日常の生活がいとなめなくなることもあるでしょう。

肉体は健康そのものでも、心が病んで寝込んでしまう人もいます。職場のパワハラ、子どもの進学問題、ママ友との人間関係、両親の介護、夫との不和、将来の不安、と、悩み始めたらきりがありません。不眠から夜ウツウツと嫌なことばかりを考えてしまい、そこからウツ状態に入ってしまう方も。

私は更年期前半戦を40代で経験して、身につけた考えがあります。それは、対処法はいくらでもある、ということです。更年期の落ち込みや体調不良があったからこそ、運動が毎日必須であるということも痛み入ったし、カフェインやアルコールのコントロールもできるようになりました。

50歳になって、腹部激痛・救急搬送・誤診⁉　という悲劇を経験しながらも、「どんな状況でも楽しめる自分」作りが既になされているので、必要以上に落ち込まずにすみました。

退院後の回復も、まずベースができていた上に、プロ技を駆使したため早かったのです。これから先何があっても、立ち直りは早いだろうという自信が持てます。

もちろん、もっとつらい経験をお持ちの方には、「ふん、その程度で」と思われるでしょうが、その人なりの耐えきれるレベル、器というものがあるので、私的にはＭＡＸ（笑）。こんなチャラ子でもアラフィフともなれば、それなりの試練が与えられるということです。だからどなたも、安心してそれぞれに与えられた苦難を乗り越えてください。

つまり、誰でも、何があっても、楽しんで臨めば乗り越えられるということなのです。そのために色々な「心に塗るお薬」がいるかもしれませんが、お財布が許す限りお求めください。本格的に具合が悪くなったら、治療費のほうがかさむし、日常生活もままならなくなりますから、その前に少し散財するぐらいは、福利厚生費として許しましょう。

病気や体調不良で外出がままならない時だって、家の中で楽しめることもたくさんあります。何もしないで頭の中で考えばかりを巡らせていると、どんどんマイナスのスパイラルにハマっていくのがこのお年頃なのです。

考えても解決策や答えが見つからないから「悩む」のです。ならば嫌なことは考えずに、楽しいことばかりを考え（たとえそれがファンタジーでも）、目の前にあること、今、必要なことだけをサクサクやっていけば、落ち込む暇もありませんよ。

やるべきことがなかったら、探すのです。専業主婦の方だって、子どもが手を離れて家の中でやることがなくなったら、シャバに出てみましょう。パートでも、ボランティアでも、できることをいかして一生懸命働けば、疲れて夜はぐっすり眠れますよ！

2 女性は死ぬまで女性

更年期は、閉経を目前にして「もう自分は女でなくなってしまう」という寂寥感《せきりょうかん》にかられることもあるでしょう。私など、子宮筋腫があるため月経過多、過長月経で悩んでいたので、50歳の十一月に生理がこなかった時には、イエーイ！　と思ったものですが。後の祭りでした。

今、生理を無理やり止める薬を打ちながら、ホットフラッシュもプチウツもすごい肩コリも経験。ああこれをはっとくと本格的になっちゃうんだなぁと思います。しかしいろんなことで対処していくと、更年期症状はあるけれど、１００パーじゃない、50パーぐらいですんでいる、という状態には持っていけるのです。

先輩諸氏は「更年期が終わったら嘘のようにラクになるからそれまでの辛抱」とおっしゃいますが、その我慢を最小限に抑えたいのがうちらバブル姐さんたち。そしてその方法も沢山あるのが今の時代です。自然派はもちろん素晴らしいけど、化学薬品も使いよう。現代医学の恩恵も受けられる時代だからこそ、副作用は自然療法で対処するのです。

卵巣摘出手術を目前にしたタイミングで、57歳の美魔女さんにお会いしました。ヒプノセラピストの村山さんとやっているセミナーにいらしたのです。57歳とはとても思えないほどお綺麗で、女っぽく、でも40代で既に子宮全摘出しているとのこと。

子宮筋腫が大きくなりすぎて、おしっこが出なくなっちゃったんですと。ついでに卵巣もとっちゃったから、自分は女ではなくなったのかと当時はお悩みになったそうです。が、その時のドクターに言われたそうです。

「僕が患者さんの中で一番セクシーだと思う女性は、83歳のおばあちゃんですよ」と。小料理屋さんをやっていた女性で、病院に来る時もいつも着物を着てシャンとしていたそうです。何十年も前に閉経した女性です。83歳で婦人科に用があるというのも驚きですが、臓器が残っている以上、定期検診の用事があるそうなのです。

子宮と卵巣を全摘した彼女も、膣は残っているので子宮頸がん検査には定期的に通っているとかで、全摘したからって婦人科を卒業できるというものではないとおっしゃっていました。シチメンドクサイ女の一生を感じましたねぇ。

カタチなんてどうでもいい、心の時代だから、なんて言われて幾年月ですが、私たち人間は、人間だからこそ形にこだわり、形に振り回されるのです。

それは、物も生物も、形とポーションを持って存在しているのが地球だけだから。そしてそれを、実は楽しむために生まれてきているので、楽しまんでか、ということも言えるのです。

痛いのも、苦しいのも、肉体を持っているからこそ。楽しいのも、美味しいのもです。そして私たちは、閉経しようがしまいが、死ぬまで肉体は女性なのです。その形を楽しんでこその人生なのです。苦しいだけじゃ、いたたまれないじゃないですか。

白髪になっても、その白さを利用して赤いルージュやメガネフレームでオシャレしている女性もいます。自分が楽しくなる、そして周囲も嬉しくなるオシャレで気分ＵＰ。元気になるグッズの存在も大切です。目に映るものの力はパワフルですからね。

column

眠れない夜にオススメ

眠れない夜に、癒しのキャラをご紹介します。それは、「きのこいぬ」という漫画のキャラクター。これ、娘がハマって読んでた漫画なのですが、眠れない夜に私も読んでみました。

現代のスピードについていけないスローな主人公と、庭のきのこから生まれた不思議な犬の物語。字も絵も少ないので、読み手もローテンションになってきて、心穏やかになれます。そしてほどなく、幸せな眠りにつけるのです。

合わせて、きのこいぬのふわふわぬいぐるみ（ネットで購入可）を抱っこして寝れば、安眠効果倍増！

3 気持ちをあげるおまじない

更年期はとにかく、気分が落ちやすく、イライラするのです。まめに心のケアをしてあげないと、たまった怒りが爆発することもあり、人間関係もうまくいかなくなってしまいます。すると、ますます孤独になっていきますよね。

冷静に考えると、相手に対する不足感からの不満や怒りは、相手にとってみたらご無体《むたい》な話なのです。自分も更年期なら同世代の相手も更年期。同性でも異性でも、みな自分が大丈夫なように生きるだけで精いっぱい。男の人にも更年期、ありますからね。

だから更年期は、本当に大人になるための階段、とも言えるのです。自分のことは自分で解決する。いい年をして、誰かに自分を幸せにしてもらおうなんて了見がおかしいのですから。まあそういう、子ども返りをしてしまうのもまた更年期症状の一種ではあるのですが……。

私が40代中盤で作ったコミュニティサロンのように、お年頃女子同士で助け合える自助会があればまだましですが、誰も心中を打ち明けられる人がいないとなると、これまた大変ですよね。なんでも聞いてもらえる親友も、アラフィフともなれば悩みや愚痴を聞き続ける気力も体力もありませんから。

では一人で、悩みや落ち込みを解決するには、どうしたらいいのでしょうか。私の親友は、考えるのをやめ走ることで解決しました。体力と気力を増強し、一人でウツウツとしてしまうなら、気晴らしに出かけてしまうのです。

仕事にしてもそうです。お一人様なので、世の中が休みの日は特に仕事を入れ、寂しくないようにしています。

家族がいても、お年頃は、孤独感に苛《さいな》まれている方も多いでしょう。そんな場合も、体を動かすか、心を変えるしかないのです。

何か打ち込めることがあればそれをするのが一番ですが、ない場合は、いつもの生活をしながら、心を変える。考え方を変えるのです。するとまず自分が癒され、イライラと八つ当たりをされなくなるので、周囲も癒されます。

私が50歳の正月、オーストラリアのバイロンベイの書店で出合い、ハマったのが、ルイーズ・ヘイのアファメーション日めくり。アファメーションというのは、口に出して言うことで、その気になるおまじない。自己啓発本ではよくとりあげられている精神修行ですが、それを日めくりにしようという発想がアメリカ的で気に入りました。

日々きれいな写真がついていて、大人女子好みなのです。机に飾っておいてもきれいだし、毎日気づかされることが書いてあります。たとえば、

「人が何を言おうと、しようと、関係ありません。問題なのは、あなたがそれにどう反応するかです。自分自身がどうありたいかは、選べるのですよ」

というものだったり……。おお、今日も勉強になっちゃったな、と、日々思えるのです。

ルイーズさんの他の著書は翻訳本が出ていますが、日めくりは英語版しかないので、インテリアとしてもオシャレだし、英語の勉強にもなります。

※彼女の本はアマゾンで買えます。
Louise L. Hay I CAN DO IT 2014 Calendarで検索。

4 主婦にもＯＦＦは必要

盆暮れ、正月、ゴールデンウィーク……昔は楽しかったはずの長い休みも、アラフィフともなると疲れのほうが大きく、あまり楽しくなくなってきます。特に家族がいる人は、寂しくない反面、家族サービスで具合が悪くなってしまう人もいるでしょう。

そんな場合、中一日、二日はＯＦＦをいただきましょう。私も連休中、夫が休みの時は娘接待を任せてＯＦＦをいただきます。白髪染めや整体に行ったり、ベリーダンスを踊ったり、友達とシャレオツなカフェでマダムランチをしたりするのです。

マダムランチは、コブ抜きでなければいけません。同世代の女同士で思いっきしお喋りと美食と、その場の雰囲気を楽しむわけですから。子どもや夫に気をつかっていては、せっかくの時間がもったいないのです。

お一人様だって、アラフィフといったらマダームですからね。ちゃんとオシャレをして、いい店で丁重に扱われる優雅な時間を過ごしてください。マダームなオシャレは重要です。女友達も、アナタの綺麗な姿を見て優雅な時間を過ごせるでしょうし、お店の人の態度も全然違いますからね。

お酒がお強い方なら、昼から泡系のお飲物で乾杯。休日の午後をより一層ゆったりしたものにするのもいいでしょう。飲まれない方、または年齢のせいで弱くなってしまった方は、食事のあとのお茶とスウィーツだけでもじゅうぶん楽しめます。一番大切なのは、家族から離れた「一人の女性」としての自分を楽しむこと。

そして同世代の女友達なら、健康のこと、家族のこと、子どもの進学問題、美容のことと話題に事欠かないし、インスパイアされるネタが多々あります。美味しいと思う食べ物も一緒なので、稼いでくれる長男（笑）と成長期の子どもとガッツリ系の食事に行くより、楽しかったりするのです。

私はたまに、専業主婦の友達とランチをするのですが、当たり前のように主婦業をこなしている朗らかな彼女を見ると、家庭持ち女性のあるべき姿を学びます。ものすごくバランスがいいのですよ。綺麗だし、可愛いし、家族とも仲がいいし、パートで週三日から四日働いているので社会性もあり、面白い上に〝まとも〟なのです。

彼女に会うと、前向きに人生を歩む、ということはこういうことなんだなーと毎回感心してしまいます。穏やかで優しいというのは、ひとつの才能ですね。私も彼女を見習って、穏やかな気持ちで家族の世話を焼くようになります。会ってしばらくの間は（笑）。

スマホはみなさんとっくにデビューしていると思いますが、私は娘の執拗《しつよう》な勧めで最近デビュー。ＬＩＮＥにも入れられてしまいました。目が疲れそうでスマホ反対派だったのですが、使ってみるとその便利さにびっくり。マダムランチ仲間ともＬＩＮＥで繋がれるようになりました。

隣り合わせてふりふりするとアドレスが入るという技を見せられて、文明のリキのすごさを垣間見た気がしましたよ。スマホは今や、みんなが持っている子どものＤＳみたいなものなんですね。まだ全然使い方が分からないけど〜。

5 ちょっと高級通販のススメ

スマホデビューしたのは、娘がオモチャとして触りたいという理由（ゴールデンウィークの暇つぶし）と、私が入退院を繰り返すようになったため、次回の入院に備えてという理由からでした。

スマホがあれば、病院でもＧｍａｉｌやインターネットが見られますからね。前回の入院の際は、あまりの暇さに、「婦人画報のお取り寄せバイブル」でショッピングしてしまいました。ファックスなら病院から送れるので、注文用紙に書き込み、院内コンビニ横のファックスで……。

そこまでして、と思われるでしょうが、入院後半の回復期においては、もう気持ちだけでもシャバに戻りたくてたまらなくなるのですよ。院内のショップでは大したものが買えないし、お買い物がしたい、素敵なものが見たいという欲求が増長し、いてもたってもいられなくなってくるのです。ないだけに渇望感が……。

そこに載っているきれいな写真と情報だけでも嬉しいのですが、実際に買えて、退院後、家に届くようにしておけば、それを楽しみに退屈な入院後半を乗り切れます。私が購入したのは以下。

○イタリア・トリノのチョコレートブランド「カファレル」のオリジナルギフトL缶

カファレルのジャンドゥーヤは、可愛い子ども向けのレディバグ（てんとう虫）やキノコのホイル包みでありながら、口どけが素晴らしく大人でも楽しめる美味しさ。缶がまたクラシックで可愛く、少女返りするお年頃女子の心を癒します。入院中ママと離れて頑張った子どもへのご褒美にも♡

○「美鹿山荘《びろくさんそう》」のミックスカレーのおせんべい

いろんなインド人のイラストが可愛く、パッケージ買いしてしまったカレーせんべい。おつまみにもお茶請けにも。大缶入りなので、小分けにしてお友達にもおすそ分けできます。入院中頑張ったパパへのご褒美にも♡

○「神戸ヴァッラータ」ピッツァ５枚セット

神戸のレストランの美味しいシンクラストピッツァ。退院直後は体力もなく、買い物も食事の支度も大変。でも、冷凍ピッツァが届き、焼くだけでレストランの味が楽しめれば、家族みんなが嬉しい♡　かなり美味しいので本当にオススメです。パリパリのシンクラストなので、おなかにたまらないのもＧＯＯＤ。

○「井筒屋」の即席手延べにゅうめん詰め合わせ

熱湯をかけて3分でできるにゅうめん。退院後の昼食に本当に重宝しました。和風醤油、和風カレー風味、しょうがの中華スープ、桜エビ入り、柚子味噌風味の五種類が二食ずつ入っているので飽きもこず、無添加。味付けもあっさりしているので、病み上がりにありがたいインスタント食品なのです。食器洗いもどんぶり一つで◎

自分で買ったものながら、家に次々と嬉しいものが届く喜びは、病気の快復を早めてくれます。品のいい包装紙で包まれているので、お見舞いの返礼にもいいですよ。

6

日常の買い物も宅配で体力温存&嬉しさ倍増！

若い頃は、欲しいものを買いに出かけて、ショッピングで街をぶらぶらするのも楽しいものです。でも、アラフィフともなると疲れが出てきて、何時間も街をぶらぶらすること自体が苦痛になってきます。

そのうえ、わざわざ出かけたのにお店に探していたものがなかったり、レジで待たされたりしたら、もうキレキレです。更年期は小さなことでも気に入らない、沸点が非常に低いので、自分で注意しないとヤバイのです。

休日のスケジュールも、相当ゆるく組まないと、疲れてキレやすくなってしまいます。何も予定がないのも寂しいですが、40代前半の頃と同じつもりでパツパツの予定など組まないほうが身のためです。

一日一つか二つのアポイントでじゅうぶんでしょう。

心のケアは、まず「疲れない」という体のケアが基本です。お買い物にしても、今やなんでも通販で買える時代ですので、わざわざ欲しいものを探しに出かけて、重い荷物を持って帰ってこなくてもいいのです。荷物を持つ、ということもアラフィフ以降は男女ともに重労働ですからね。佐川男子にやってもらいましょう！

食品や日用品もネット通販を利用すれば、買いに行かなくても家に届きます。もちろん、体力があり、自分の目で選んで買いたいものがある時はスーパーや量販店に出かけてもいいですが、極寒、極暑、雨天、体調が思わしくない時、また多忙な時は、ネットスーパーを利用しない手はありません。

まだスーパーが開いていない朝の時間帯に注文をすませ、夕方帰宅時には宅配してもらえるのですから、日中は自分時間に充てることができます。体調が思わしくない時は、休息に使えるのです。一日中パジャマで寝たり起きたりの生活をしていても、一番早い時間の配達をしてもらえば、ランチをゲットすることだってできますからね。

私も、重いものやかさばるものを持ちたくないという理由で、今やほとんどの生活用品を通販に頼っています。40代後半まで自力で買い物してきたのですが、50歳の声を聴いた頃から、最早無理。多少割高になっても、持ってきてもらったほうが体力温存でき、家事に協力してくれない家族に腹を立てることもなく、結局はお得なのです。

コスメにしたって、お気に入りのアイテムを探して右往左往するより、ネット買いのほうが賢いのです。同じものでも安価で手に入ったりしますからね。そしてあっという間に届きます。ファンデーションなんか、切れる前に届きますから（笑）。

世界最大のショッピングモールとはよく言ったもので、アマゾンで神棚まで買えることを知った時には、正直度胆を抜かれました。もうどこに住んでいても、何でも買え、都会の人込みの中で並ばずにすむ時代になったのです。

人込みで買い物をしてレジに並ぶ、という行為も、かなり気力と体力を消耗します。それに比べたら、宅配の段ボールを畳んで、リサイクル日に出すほうがよっぽどマシです。実際に出向いて買ったほうがいいものは、生鮮食品と洋服、靴、アクセサリーだけです。話題のココナッツオイルも重いので、私は通販で買いました。

7 伝統的スピリチュアル・デビューのお年頃

若い頃、スピリチュアルグッズといえばクリスタルであり、ドリームキャッチャーであり、パワースポット巡りだったものですが、アラフィフ以降は、「居ながらにしてお参り、御供養」を実践する時代です。

というのも、パワースポット巡りや神社参拝、墓参りも疲れるからです。人気の神社ともなるとこれまた人込みで、癒されるどころかクタクタに。お盆などに墓参りしようものなら渋滞に巻き込まれと、いいことないのですよ。

ご先祖供養は、毎日仏壇の世話をするほうがいいのです。現地にお墓参りしないといけないような意識がありますが、ほらあの歌を思い出してください。そこには誰もいませんのよ。千の風に乗って飛んでいるわけで。

神社もそうです。地方にある話題の神社に参拝しようとしたら、一緒に行った女性と私は二人とも参道の途中で片頭痛に見舞われ、山を下りてしまったのです。あとから、霊感の強い彼女の母に聞いたら、人気が出過ぎて多くの参拝客が我欲を置いていくので、逆によくないスポットになってしまっているとか。山を下りたら片頭痛が治ったので、なるほどなー、と思ったものです。

いいえ、お参りしたいなら、したほうがいいですよ。そして、人込みでも疲れない体力があるならいいのです。でも、無理して具合悪くなってまで行く必要もないということです。

我が夫は体力があり余っていて、参拝大好き人間。我が家にはいろんな神社のお札がたまっていて、棚の高いところにランダムに祀ってありました。

このままでいいのかなーと思っていたところで、伊勢白山道という方の本を読んだら、正しい神棚の祀り方が書いてあったので、とうとう我が家も神棚デビューしてしまいました。

試しにアマゾンで検索してみたら、所望の三社造り《さんしやづく》が売られていたのでワンクリックで購入。わざわざ神社にいかなくても、神棚までお届けしてもらえるのです。

お供えの水と榊の水は毎日変え、無心で二礼二拍手一礼。色々と願をかけるのはNGだと伊勢さんもおっしゃっていました。私も、神社仏閣に参った際には、かつて色々とお願いしていたものですが、ここ数年はお願いすることもなく、ただ手を合わせるだけになっていたので、正解だったなと思いました。

というのは、アラフィフともなると、健康で生きているだけでも本当にありがたいのです。突然の激痛など不測の事態も起こる年齢になってしまったので、日常生活がつつがなく送れることこそがありがたく、最高に幸せなのです。マジでありがたいのですよ。それ以上、何を望むというのでしょうか。

お年寄りが仏壇の世話、神棚の世話を日々やっているのは、暇だからじゃなかったんですね。そんな年まで健康で生かしていただきありがとうと、感謝を捧げているんです。その境地に、やっとなれました。

神棚が来てから、日々の暮らしがよりありがたく感じられるようになりました。この年になると、何が嬉しいかも、こんなに変わるんですね。

8

いつも使うモノに少しだけお金をかける

若い頃はお洒落グッズにお金をかけたものですが、アラフィフともなると、お出かけの頻度と時間が減ってきます。お勤めしている方も休日は、また居職や専業主婦の方はますます、家にいる時間が長くなっていくでしょう。

病気や体調不良で家から出られないこともままあるし、体力温存のため、あまり長時間は出かけないほうがよくなります。前項でも触れましたが、お買い物はできるだけ通販で頼み、自分の労働を減らすのですよ。

若いお出かけ時代は、家で使うモノになどお金をかける気になれませんでしたが、50歳の声を聴く頃から、毎日使うモノだからこそ、の意識が芽生えてきました。たとえばコーヒーカップ。以前はカジュアルなマグカップを出先でたびたび買い、とっかえひっかえ使っていたのです。

ところが数年前の父の日、夫にいいコーヒーカップを買ってやろうと、セルリアンタワーにある焼き物のギャラリー『GALERIE AZUR』に赴いたのです。ずっと通りがけにウィンドウから覗いて、素敵な器があるなぁと思っていたところです。焼き物はお高いという印象がありますが、ここのは作家ものでもカジュアルな値段で、私たちの生活にも合うモダンでシンプルなデザイン。手触り、舌触りも素晴らしく、思わず自分の分のまで買ってしまい、その後に湯呑みも買いました。

もうひとつ、成田のスーベニアショップでお気に入りのお椀に出合い、その本店がなんと代官山のヒルサイドテラスにあったので、帰国後すぐに買いに行きました。ヒルサイドテラスはかつて近所に住んでいたこともあり（今はコミュニティサロンとなっています）、馴染みのプレイスですが、二階にある仰々しい名前のお店に足を踏み入れたのは今回が初めて。年はとってみるものです。

その名も『山田平安堂』。お店は広く薄暗く、お客さんもいないのでちょっと敷居が高い感じですが、整然として胸のすく空間です。まるでお堂のように素晴らしい塗りの器が鎮座めされていて、「買う」という高飛車な態度ではなく、「我が家においでいただく」感じでお椀を二個購入しました。娘のだけは既にあるんですね、頂き物の名入りが。

塗りのお椀は、もちろん手洗いでなければいけません。でも、その口触り、手触り、見た目の美しさは素晴らしく、普段のお味噌汁も器で料亭の味に♡　朝ごはんをホテルの和食店に食べに出かけられる元気がある年齢ならば必要ないかもしれませんが、出かけにくい年齢になったら、家でこそ質のいいものを使い、気分を楽しむべきです。

その前は、食洗器ＯＫのお椀を使っていましたが、今は「高級品の癒し効果」を取り、こちらを主に使っています。手洗いするにも愛情がこもるので、ちっとも苦じゃないんですよ。

お箸も同じく。人間とはゲンキンなものです。

私の愛用するお箸は細すぎて、食洗器にかけると壊れてしまいます。だから、毎回手洗いしています。

コーヒーカップ、湯呑み、お茶碗、お椀、お箸は、毎日、毎食使うもの。本当に愛着の持てるものを購入し、大切に使うことが、心のケアにつながります。

9 「お祝い」は消えものか器に限る！

同世代の女友達に毎年送る誕生日プレゼントやクリスマスプレゼント。アラフィフともなると、お互いもう欲しいものもそんなにないし、もらっても邪魔になることが多いのではないでしょうか。モノは極力減らしたほうが、お掃除もラクですしね。

私は50歳から親友の誕生日プレゼントは観劇のチケットにしています。行事として娘と三人で出かけると、それが思い出となり、あとには残りませんからね。夫には香水か、好物のチョコレートやお肉。親友のクリスマスプレゼントには、ちょっといいボディオイルやソープ、ハンドクリームなどの詰め合わせにしました。

自分の50歳の誕生日プレゼントには、夫には器を買ってもらいました。何も欲しいものがなかったので、かねてから気になっていたａｍａｂｒｏの器を買ってもらったのです。これは、職人さんたちにモダンな絵付けをしてもらった、伝統とアートが見事にマッチするモダン和食器。藍に金の絵付けがビビッドな、遊び心のあるデザインです（巻頭の写真のものです）。

自分で買うにはちょっとお高い値段ですが、贈り物なら無理のない値段で、パッケージも可愛く、捨てるのがもったいないぐらいです。そば猪口や小皿は桐の箱に入っています。ネット通販では引き出物として扱っているぐらいで、ポップでありながら格調が高いのもアラフィフ心をくすぐります。

我が家ではそば猪口を普段使いでフルーツヨーグルトの器として、お皿はお刺身や煮物、ちらし寿司の取り皿に。お刺身や煮物を盛るだけで、我が家の食卓が料亭風に♡　豆皿は佃煮などのせてもいいのですが、たんにお醬油を差してもグレードUPものです。

器が綺麗だと、それだけで食卓が華やかになります。食事にも手をかけられないこれからの年齢だからこそ、たまには器でお贅沢をしてもいいかもしれません。それはなんのためかというと、ほかでもない心の養生のためなのです。日々の暮らしを慈しみ、楽しむ。これ以上の贅沢はありません。

ワイングラスも、以前は安価なものですませていましたが、50歳からはガラス工芸の作家ものを使用しています。毎日使うものだからこそ、大きさもデザインもお気に

※ワイングラス購入先
南アルプスglass工房 http://alpsglass.com

入りで、手触り、口触りが優しいものを。

これは、自分に対する思いやりなのです。買う時は少々お高いと感じても、毎日何年も使うので、その癒し効果を考えたら決してもったいなくはありません。

実はこれも、50歳の母の日に夫に買ってもらいました。同じアートショップでアクセサリーを買ってくれると言ったのですが、それをつける頻度を考えたら、毎日使うモノを買ってもらったほうがよかったのです。

まぁ人それぞれ、自分にとっての大切なものというのは違うでしょうが、年齢とともにプライオリティが変わってくるというのは、自然なことと思います。

今のあなたにとって、何が大切ですか？　そして、何が心を癒してくれるでしょう。自分自身に問うて、魂がお喜びになることをなさってください。地味ながらも日々嬉しさを感じられる生活を心掛ければ、アラフィフライフもまんざらではありませんよ。

10

体を動かすと心も晴れる

心がウツに傾きやすいこの時期、体からのアプローチがなにより手っ取り早いです。考えてもどうしようもないことを悩み、怒ったり悲しんだりしていたら、どんどん体調が悪くなり、ますます憂鬱です。ならば、考えることをやめて、あるいは、やめざるを得ないぐらい体を動かしちゃうのがいいのです。

運動とかダンスがどうしても嫌いで続かない、という方なら、お出かけをして歩くだけでも運動量を稼げます。お掃除を徹底して家の中で運動量を稼ぐという手もあります。ジョギングやウォーキングが日課になればそれに越したことはないのですが、どうしてもその手は嫌い、という人なら、自転車でぶらぶらしてもいいですしね。

特にいい陽気の時は、外でぶらぶらするのが気持ちいいし、気分転換になりますよ。アラフィフともなると、街中をぶらぶらするより、緑の中をぶらぶらしたほうが心和みます。空気だっていいですし、お金も使わなくてすみますから。近くに緑豊かな場所や公園がある方なら、無料で森林浴ができます。

私がヨガやダンス、ピラティスを日課にしているのは、ウォーキングやジョギングが苦手だから。みなさんそれぞれ、御自分のできることで一日一時間程度の運動を日課にされるといいですよ。水泳がお好きな方なら最寄りのスポーツクラブに入会して毎日でも泳いだら、心身の健康効果は計り知れないでしょう。

どうしても体を動かすのがイヤ、という方は、まずは簡単なストレッチから始めてみてはいかがでしょうか。それすらも気が乗らない、という方は、とりあえず最初は、整体やマッサージなどでプロに体を動かしてもらうのがオススメです。

人にお願いするのは本当の第一歩ですよね。私も30代前半までは、治療家におんぶにだっこでした。自分ではまったく何もしないで、具合が悪くなったらプロになんとかしてもらうという。

でもそこから、やはり永続的に健康管理するには自分で動かさねば、というところに行きつきました。毎日プロにお金を払ってやってもらうわけにはいきませんからね。

セルフメンテナンスの素晴らしいところは、どこにも行かず、アポイントもとらず、お金がなくても自分でできることです。時間も、お金もなくても心地の良い体と心は保てるのです。プラスアルファを求めたら、レッスン代や施術代にお金をかけなければなりませんが、それは自己投資なのでもったいなくありません。

アラフィフの体は、ビンテージものの名器なのですよ。お手入れさえ良ければ、まだまだ、いいえ、これからもっといい音を奏でてくれます。そこんとこ、お忘れなきよう。

50年使ってきた。当然ガタはきてる。でも、ビンテージにしかない良い味を出しているし、格調も高いのです。ただ古くなっているだけではありません。

さぁあと何年、この肉体を健康に保ち、楽しめるのでしょう。自分の足で歩いて好きなところに出かけ、観光気分を味わえるのでしょうか。踊ったり、食べたり、泳いだり、お喋りしたり、飲んだり、見たり聞いたりして、肉体があるからこその愉しみを享受するのです。

今日は何をやって楽しもうかと思うと、朝からワクワクしてしまいますよ！

特別対談

教えて先輩！

作家

横森理香

50歳になった時ってどうでした？

漫画家

槇村さとる

更年期はラクじゃない

槇村　更年期の話って、みんな、すごくきれいに言うの。「人間としての成長が」とか、「新しい楽しみが」とかさ。「うそ！」っていつも思うの。

横森　いや、もう、血まみれですよ！　そんなきれいなものじゃないよねえ。

槇村　うん。そういうこと言わないっていうのが、とっても日本的なんだろうと思うけど。自分が若かった時のことを考えると、「どうしてもっと本当のことを語ってくれる先輩がいないんだろう」と、いつも思っていた。

横森　ああ、わかる。だからこの本ではきちんと更年期の本当のところを書きたいと思って、今回の対談もお願いしたんです。

槇村　一番あがくとこだよね、40代は。30代はまだ元気があるんだけど、それがきかなくなる40代から50歳にかけてがけっこうキツい。

横森　本当ですね。見た目の老化よりもっと内臓にきてますからね（笑）。

槇村　私は栄養不足になってるなあって感じること多いな。

横森　栄養不足？

槇村　「頭が回ってない」とか。まあ、気力と体力の衰えなんだけど、物忘れとかぼおーっとしたりとか。仕事だと、ページ振り間違えて、「先生、一枚足りません」とか、「一枚多いです」とかアシスタントさんに言われて、「ギャー」って……。

横森　私もあります。先に書かなきゃいけないエッセイを書いてなくて、三カ月後ぐらいのエッセイを先に書いちゃったり。ちゃんと確認しなきゃ、って改めて。

槇村　確認が新テーマ。わたしは仕事の依存症だから、そこで間違いがあるとダメージが大きくて凹み方がハンパない。
横森 ああ、そこで落ち込むんだ。さすがプロフェッショナル。
槇村 でも、それも回数やると慣れるっていうか……諦めがついてくるけどね。そういう自分になったんだから、これからは間違えないように工夫することを考えようと。40代くらいってさ、「こう在りたい自分」っていうのがまだあるから、それが一番厄介ね。それが捨てられれば、本当にラク。幻ばっかり見てたって、体のほうは加齢が加速して後ろからきてるから。
横森 加齢は速い！ 自分が思っている以上に！ いきなり何か起こって驚くよね。
槇村 わたしも去年、十二指腸潰瘍をやって、ホント倒れた。ストレスだと思うんだけど、三年ぐらい胃腸の調子が悪くて。だから、その時に気づいて仕事のペースを落としたり、ストレス源を調整したり、早め、早めにやっておけばよかったんだけど。でも、仕事ができないわけじゃないし、原稿はきちんとできるから、体が加齢しているってことを無視しちゃってたのね。「まだ自分はできる！」って心がすがってて。でも体はどんどん耐えきれなくなって、「痛い、痛い、お腹、痛い」という状態だった。

閉経時期は人それぞれ

横森 槇村さんは何歳で閉経なさったんですか。
槇村 51歳ぐらいかな。わりと平均だった。
横森 それが平均なんだ。何歳から初潮でした？
槇村 11歳。生理のある期間って、みんな同じっていうじゃない？ でも自分はすごく乱れたことがなくてわりと婦人科系は頑丈だったのね。だからもうちょっと延びるかなと思ってたんだけど、ピタッて50歳とちょっとで止まったの。わたしが知ってるエステの店長は、高齢の人なんだけど「わたし、65歳まであったわ」とか言ってたから、それは是非、目指したいと思ったんだけど、目指したいとかじゃなくてそれはもう個々の体の問題なんだよね。

横森　その人は何かされたんですか？　婦人科系の治療で何か注射したとか、ピル飲んでいたとか？

槇村　ないと思うよ。私のお母さんぐらいの年代の人だから、あんまりそういうふうに薬を投与するようなことはしていないと思う。

横森　私、もうそろそろ閉経だろうから、「このまま薬物投与も手術もしないで閉経に逃げ込めたらなあ」って思ってたんですよ。でも、今回のようなことがあって、逃げ切れなかった。

槇村　そうだね。65歳まであるかもしれないものね。

横森　65歳までだったらこれから先、大変なことになっちゃう！　ところで、槇村さんは閉経のサインもなかったですか？

槇村　うーん、私は特になかったですね。自然に少なくなっていった。

横森　ああ、羨ましい。それで、期間も短くなったり長くなったりもなくて？　少しずつ量が少なくなって、そのまま終わっちゃった感じ？

槇村　そう、うん。穏やかな着地だったかもね、もしかしたら。

横森　うん、素晴らしい。知らないうちに終わっちゃったっていう人もいるんですよね、何事も問題なく。

槇村　うん、それ、更年期障害と一緒だと思う。問題なくさらっと行く人も、大変な思いをする人もいると思う。その代わり、私は胃腸にきて、最終的に胆石になって胆嚢《たんのう》も切ったわけだから、場所が違うだけでみなさん何かしらあるのかも知れない。

体調と生活の変化について

横森　閉経後に典型的な更年期症状ってありました？

ホットフラッシュとかは？

槇村　あんまりなかったかなあ。めまいはあったけど……紅麹のサプリを飲むぐらいでなんとかなった（笑）。納豆を食べるとかね。夕方になるとぼおーっとするんだけど、漫画家は家でする仕事だしアシスタントもいるしね。「ぼおーっとする」とか、「汗が出る」とか言って、ダラダラしてたところで、まったくかまわないので。辛かったら「寝る」っていって、寝ても平気なので。だから、あんまりきついと感じなかったのかもしれない。

横森　家での仕事はまだいいですよね。会社員の人は会議中とかだと大変みたいね。

槇村　そうね。休むことを許されないとすごい辛いと思うけど。私の場合は、「夕方になったら先生、使い物にならない」ってみんながわかってくれるから、それが一番ラクだったなあ。

横森　でも、その頃から体調に合わせて生活は変えたんですか？

槇村　変えた、変えた。40歳ぐらいから夜の仕事はぜんぜんやってない。夫が昼型だから夜も早いし、ビー

ルを飲み始める時間も早いから。
横森　じゃ、晩酌までに今日の仕事は終わらせる、みたいな。
槇村　そうそう。お風呂もご飯の前に入っちゃうみたいな生活。夜は仕事しなくなったの。土日もアシスタントの人たちが結婚する年代に入った頃からしないって決めたので。夜はリラックスタイムにしちゃおうと。結局、そうでないと描けないいんですよ。気合のいる大事な線は、午前中に描いちゃわないと。
横森　疲れてないうちにね。私も書き仕事はアサイチだもの。
槇村　午後3時過ぎたらおやつを食べて、ベタ塗り以外あまりしない、みたいなそういう感じ（笑）。まあ、それが自然だものねえ。
横森　やっぱり現役でずっといくには、早寝早起きは欠かせないですよね。そういう生活をしていれば、更年期の症状もそんなにひどくならないですむんじゃないのかなって思ってる。他には大きな症状はなかったですか？
槇村　ああ、貧血はあった。十二指腸潰瘍の時に貧血してた。
横森　そうか、出血してるから。
槇村　基本的には、あんまり貧血しない人間だったから、初めての貧血だったの。それでびっくりした。「なんでこんなゆらゆら、ゆらゆらするんだろう」といったら、ずうっと身体の中で血が出てたみたいな。
横森　貧血って怖いですよねえ。活動できなくなっちゃうの。
槇村　怖いと思った。
横森　頭が働かなくなりますよね。、階段の上り下りも辛い、みたいな。血は大事なのねえ。
槇村　ちょっと血の成分が何か足りないだけで動けないもんね。一日でやった仕事が、猫のトイレをきれいにしただけ、みたいな。変な格好になって。四つん這いになって階段あがったりして。そこから食生活で鉄分に気をつけるようにして、あと潰瘍を治したら体も治ったの。

横森 私も注射で生理を止めたら治った。退院後は処方された鉄剤も飲んで、ひじきやホウレンソウ、赤身の肉やレバーを食べたりしてたら改善してきたの。駅の階段を上っても、ぜんぜん前よりいい、息切れしない。やっぱり体だから物理的なケアが効くんですよね。

槇村 戻ってきたんだ。

横森 うん、「戻ってきた、私！」みたいな。もう綺麗ぶってないで、レバニラ炒めや焼肉もガッツリ食べて、鉄剤と一緒に胃腸薬も飲む、みたいな力業で（笑）。

槇村 そうね。やっぱり自分で感じるのは栄養素を吸収しにくいんじゃないかということ。量もそう多くは食べられないし。だから、厳選して大事なものから食べていこうとするんだけど、それでもあっという間におなかいっぱいになっちゃう。

横森 そうそう、下手なものは食べられないですよね。私も夕飯のご飯はやめています。必要な栄養を食べるまでに行き着かないの。

自分の中に少女がいる

横森 自律神経失調症はどうでした？「目まいが」とか。

槇村 やっぱり春になるね。何日かふらふらする。私の更年期らしい症状は目まいが最初だった。45歳ぐらいの春先に突然三～四日、ふらふらしてて。

横森 私も生理で大出血したり具合が悪くなるのって、春先です。

槇村 春、辛いよね。

横森 ホルモンバランスが悪くなるっていうのは、やっぱり自律神経系なのかな。春にどうもダメですね。

槇村 春はいちばん辛いよね。ガックリくる。心としては冬の後だから、元気にいきたいんだろうけど追いつかないんだよね、体が。

横森　うちの娘も11歳だから、そろそろ女性的な成長が始まったのかな。春先に「目まいがする」って言いだしたの。自律神経失調症なのかな、こんなにちっちゃいくせに！と思ったんですが。

槇村　それ、更年期と一緒じゃん（笑）。まさに思秋期対思春期だね。

横森　同じなんだなと思って、数日で治ったけど。春先って、やっぱりある。

槇村　調整なんだね、きっとね、春の。

横森　「思春期と更年期は、春先、気をつけて」ってことですね（笑）。ウツっぽいし、つまんないことで悩んだり、恋する乙女みたいな不安定な気持ちになったりとか、なんかメンタルが懐かしい感じ。体はもちろん老化しているんだけど、メンタルが少女返りしてて、自分の中に昇華しきれていない女の子がいるみたいな感じがする（笑）。「いい加減、男になっちまえよ」って思うんだけど、でも、なかなか素直にいかないんですよね。

槇村　そうね、確かにね。中性になっちゃえばいいのにって思うけど、そう簡単な話じゃないね。

横森　ラクなのにねえ。

槇村　じゃあ、閉経して精神的にグラグラしちゃう人、いるじゃないですか。「もう、自分は女じゃないんじゃないか」って考えちゃうとか。それはどう思う？

横森　私、閉経しても女性は一生、女だと思うんです。肉体が女性ですから。

槇村　そうだよね。そういう人は、パートナーとの関係性とかも含めて悩んだりするんだと思うんだけど、私もね、辛い時にたぶんイライラとかが出ていたらしくて、夫がいきなり、「もしもし」って私のところに来てね。「わたしはあなたに対して、何かひどいことをしましたか」ってきかれたことがあるの。

横森　すごいストレートですね。

槇村　そう。で、「あなたが、つんけんイライラしてて、トゲトゲしてるから辛い」って言われて。私もその二〜三日前から小さなイライラや不満が溜まっていたみたいで、「更年期だから、半年放っておいて！」って言っちゃったの。

横森　すごい！　カッコいいねえ。

槇村　そしたらね、どう出るかわからなかったんだけど、夫は「あ、何だ」って言ったんだよね。

横森　納得したの？

槇村　彼は、「自分が嫌われている」と思っていたみたいで。それこそ「好かれてない、注目されてない、嫌われてる」と思ってたんだって。だけど、私が「更年期」って言ったら、「あ、なんだ、病気？」って言って、「オッケー」って。なんか、彼の中では更年期っていうのは、好き嫌いの問題じゃなくて、体の具合だっていうことがはっきり分かっていたみたいで。それから家の中の空気がラクに戻った。

横森　パートナーにちゃんと伝えるっていうのも大切なんだね。

ラクになるのはいつ頃？

横森　その後、今の気持ちは安定してる？

槇村　安定してるよ。今日は（笑）。

横森　閉経後、何年目ぐらいで安定してきました？イライラとか、落ち込みとか。

槇村　落ち込みはもちろん人間だから今もあるけど、体がとにかく戻ってきたので、それと一緒にって感じだよね、気持ちも。

横森　ああ、そうか。じゃ、体が先なんだ。

槇村　そう。胃腸がすごく元気になってきて、ウンチがよくなってきて、そうすると今度は筋トレを少しやろうって気持ちになってさ。筋肉がないと元気が出ない感じがするから。で、あと足りない栄養素は何だろう？「頭のボケだけだな」みたいな感じが今（笑）。更年期が終わったら今度は「老い」という域でまた安定するから、それなりの元気が出てくるっていうから、それは楽しみですね。

横森　今は、安定期の入口くらい？

槇村　多分ね。あとは気持ちがイライラしなきゃいいの。「この程度の体力じゃ、いやだな」とか思い始めると、また、「自分がいやだ」って辛くなるから。しかたないでしょって、自分に言い聞かせてね。さすがに何回か入院したりすると気持ちも納得するようになったわ（笑）。

横森　私の友達のお父さんで、ずうっとバリバリ働いていた人が八十何歳になった時に、すごく自分に腹を立てるようになったらしくて、夜中に叫ぶんだって。「これだから、嫌なんだよ、俺は！」みたいな。動けない自分が嫌で、自分に対して本気で怒鳴るんだって。

槇村　いやー。そこ早く手当てしときたいわ、私も。きついわ、「自分が、イヤ」って思う自分が。

横森　肉体がついてこなくなるんだよね。今はみんな気持ちが若いから、「あれをやりたい、これをやりたい」っていうのがあっても体が言うことをきかない分、不満が増していくんでしょうね。でもかつては新聞で「50歳の老婆、車に轢《ひ》かれる」って記事があったぐらいなんですよ。だから、その昔だったら、自分も「老婆」って言われた年齢なんだっていうことを、とりあえず自覚しておいたほうがいいんじゃないかなって思います。それ自覚した上で、「でも私、まだぜんぜん可愛いじゃん」って、鏡を見て思ったほうが気分がいい。「もおっ、アラフィフなんて思えない♡」みたいな。

槇村　内臓関係も仕方ないよね。だって50年使ってるんだもの。衰えるよね。

横森　いくらね、アンチエイジングのサプリとか色々とっても、ポンコツはポンコツだよね（笑）。お手入れをよくしていても、やっぱり若くないわけですよ。壊れやすいし問題も起こる。ただ、何もお手入れをしないのとするのじゃ大違いだから、ヴィンテージ車みたいな感じで、管理がよければ動く……っていうレベルだよね。槇村さんも本に書いてるけど、「自由でいたい、自分の足で歩いていきたい」とか、「好きなことを仕事にしたら、それをずっと続けたい」と思ったら、自分で自分の加減をいろいろしていくっていう話ですよね、壊れないように。

槇村　体に合わせてね。

横森　そう、体と年齢に合わせてね。

槇村　「こんなはずじゃない、こんなのいやだ」って思ってる状態が一番辛いので。

横森　思ってもしょうがないもんねえ、本当。私も婦人科系だけは弱くて色々問題を抱えてるけど、もう、なっちゃったものはしょうがないから、あとどうするかっていうことですよね。その点は、女性のほうが男性より前向きに考えられる性だしね。

槇村　本当。やっぱり生理があるから女の人のほうが鍛えられて強いんじゃないかって思うよ。

横森　あと、やっぱり産んで育む性だから、そんな後ろを振り返ってる暇もないっていうのは、ＤＮＡに刻まれてるんだよね。「それより、今日の飯じゃ」みたいな感じで行くので、大丈夫なんですよ、基本。

槇村　そう。自分の人生をリアルに生きていれば大丈夫なんだと思う。

横森　色々問題が起こるのも大前提で、「大丈夫」ってことですよね。女には解決できるパワーがある、と。今日はありがとうございました！

槇村　そうね。色々あるけど落ち込んだ時は伊勢丹でお買い物いっぱいして頑張ろうね（笑）。

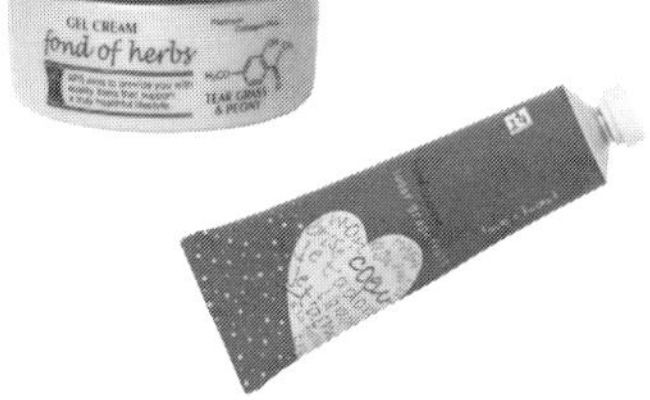
GEL CREAM
fond of herbs

横森 理香

（よこもり・りか）

作家・エッセイスト。1963年生まれ。多摩美術大学卒。現代女性をリアルに描いた小説と、女性を応援するエッセイに定評があり、近著『40代♡大人女子のための“お年頃”読本』がベストセラーとなる。代表作の『ぼぎちんバブル純愛物語』は文化庁の主宰する日本文学輸出プロジェクトに選出され、アメリカ、イギリス、ドイツ、アラブで翻訳出版されている。近著に『40代大人女子のためのお役立ちアイテム』（大和書房）がある。
また、「ベリーダンス健康法」の講師としても活躍。主宰するコミュニティサロン「シークレットロータス」でレッスンを行う。

公式ホームページ　**www.yokomori-rika.com**

50歳《さい》からの自分《じぶん》メンテナンス術《じゅつ》

2014年　8月31日　第1刷発行

著　者　横森《よこもり》理《り》香《か》
発行者　佐藤 靖
発行所　大和《だいわ》書房
東京都文京区関口1-33-4
電話　03-3203-4511

ブックデザイン　廣田 文
カバーイラスト　槇村さとる
写真　尾鷲陽介
本文印刷所　厚徳社
カバー印刷所　歩プロセス
製本所　ナショナル製本

ISBN978-4-479-78291-9